Max Frisch
Don Juan
oder Die Liebe zur Geometrie
Komödie in fünf Akten

Suhrkamp Verlag

Geschrieben 1952, revidiert 1961

edition suhrkamp 4
41.–55. Tausend 1966
Die revidierte Fassung erschien zum erstenmal im Band 2 der *Stücke* von
Max Frisch. © 1962 Suhrkamp Verlag, Frankfurt am Main. Printed in
Germany. Der Text folgt der oben genannten Ausgabe; erste Einzelaus-
gabe der revidierten Fassung. Alle Rechte vorbehalten, insbesondere das
der Übersetzung, des öffentlichen Vortrags, des Rundfunkvortrags und
der Verfilmung, auch einzelner Abschnitte. Das Recht der Aufführung ist
nur vom Suhrkamp Verlag in Frankfurt am Main zu erwerben; den
Bühnen und Vereinen gegenüber als Manuskript gedruckt. Satz, in
Linotype Garamond, Druck und Bindung bei Georg Wagner, Nördlingen.
Gesamtausstattung Willy Fleckhaus.

edition suhrkamp

Max Frisch, geboren am 15. Mai 1911 in Zürich, lebt heute in Berzona/Schweiz. Er wurde mit folgenden Preisen ausgezeichnet: C. F. Meyer-Preis der Stadt Zürich 1938, Wilhelm Raabe-Preis 1955, Charles Veillon-Preis 1958, Zürcher Literatur-Preis 1958, Büchner-Preis 1958, Preis der jungen Generation 1962, Großer Kunstpreis für Literatur des Landes Nordrhein-Westfalen 1962, Literaturpreis der Stadt Jerusalem 1965, Schiller-Gedächtnis-Preis des Landes Baden-Württemberg 1965: Die Komödie *Don Juan oder Die Liebe zur Geometrie* wurde am 5. 5. 1953 gleichzeitig am Schauspielhaus Zürich und am Schiller-Theater Berlin uraufgeführt. Der hier vorliegende und zum erstenmal in einer Einzelausgabe veröffentlichte Text folgt der revidierten Fassung von 1961, die am 12. 9. 1962 am Deutschen Schauspielhaus in Hamburg erstaufgeführt wurde.

Max Frisch im Nachwort: »Don Juan ist ein Intellektueller, wenn auch von gutem Wuchs und ohne alles Brillenhafte. Was ihn unwiderstehlich macht für die Damen von Sevilla, ist durchaus seine Geistigkeit, sein Anspruch auf eine männliche Geistigkeit, die ein Affront ist, indem sie ganz andere Ziele kennt als die Frau und die Frau von vornherein als Episode einsetzt – mit dem bekannten Ergebnis freilich, daß die Episode schließlich sein ganzes Leben verschlingt.«

Don Juan (1952)
oder Die Liebe zur Geometrie

Mozart   Don Giovanni
Grabbe   Don Juan und Faust   1829
Brecht   Don Juan

Personen
Don Juan
Tenorio, *sein Vater*
Miranda
Don Gonzalo, *Komtur von Sevilla*   Commander
Donna Elvira, *dessen Gattin*
Donna Anna, *ihr Kind*
Pater Diego
Don Roderigo, *Freund des Don Juan*
Donna Inez
Celestina, *die Kupplerin*
Don Balthazar Lopez, *ein Ehemann*
Leporello
Witwen von Sevilla
Drei fechtende Vettern

Ort
Ein theatralisches Sevilla

Zeit
Eine Zeit guter Kostüme

Erster Akt

Vor dem Schloß
Nacht. Musik. Ein junger Mann schleicht die Treppe
hinauf, um von der Terrasse ins Schloß zu spähen. Ein
Pfau schreit. Da jemand auf die Terrasse kommt, ver-
steckt der junge Mann sich hinter einer Säule.

DONNA ELVIRA. Don Juan? Don Juan?

DONNA INEZ. Kein Mensch ist hier.

DONNA ELVIRA. Sein Schimmel steht im Stall.

DONNA INEZ. Sie täuschen sich ganz gewiß, Donna
Elvira. Was soll ein Mensch in dieser Finsternis?
Mich fröstelt, und wenn dann noch die Pfauen kreischen, huh, mir geht's durch Mark und Bein, bevor
ich es höre.

DONNA ELVIRA. Don Juan? Don Juan?

DONNA INEZ. Palmen im Wind. Wie das Klingeln eines
Degens an steinernen Stufen. Ich kenne das, Donna
Elvira, ich höre das jede Nacht, und jedesmal, wenn
ich ans Fenster trete: nichts als die Palmen im Wind.

DONNA ELVIRA. Er ist gekommen, das weiß ich, sein
Schimmel steht im Stall . . .

Sie verschwinden, und der junge Mann tritt aber-
mals vor, um zu spähen; er muß sich abermals hin-
ter eine Säule verstecken, von der anderen Seite
kommen ein Greis und ein runder Pater.

TENORIO. Geduld! Sie haben leicht reden, Pater Diego.
Und wenn der Lümmel überhaupt nicht kommt?
Schon ist es Mitternacht. Geduld! Nehmen Sie mei-
nen Sohn nicht in Schutz. Er hat kein Herz, ich sag's,

7

genau wie seine Mutter. Kalt wie Stein. Mit zwanzig Jahren: Ich mache mir nichts aus Frauen! Und was das Schlimme ist, Pater Diego: er lügt nicht. Er sagt, was er denkt. Seine Geliebte, sagt er mir ins Gesicht, seine Geliebte sei die Geometrie. Was hat mir dieser Junge schon Sorge gemacht! Sie sagen es ja selbst, sein Name kommt in keiner Beichte vor. Und so etwas ist mein Sohn, mein einziger, mein Stammhalter! – mit zwanzig Jahren noch nie bei einem Weib gewesen, Pater Diego, können Sie sich das vorstellen?

PATER DIEGO. Haben Sie Geduld.

TENORIO. Sie kennen die Celestina –

PATER DIEGO. Scht.

TENORIO. – Spaniens berühmte Kupplerin, sie, die sogar Bischöfe zu ihren Kunden macht, aber nicht meinen Sohn, nicht meinen Sohn. Und was habe ich schon bezahlt! Und wenn er schon einmal im Bordell sitzt, so spielt er Schach. Ich habe es selbst gesehen. Schach!

PATER DIEGO. Leise, Vater Tenorio.

TENORIO. Macht sich nichts aus Frauen!

PATER DIEGO. Man kommt.

TENORIO. Der Junge bringt mich noch um, Sie werden sehen, Pater Diego, mit einem Herzschlag –
Es kommt Don Gonzalo, der Komtur.

PATER DIEGO. Ist er gekommen?

DON GONZALO. Noch ist nicht Mitternacht.

TENORIO. Don Gonzalo, Komtur von Sevilla, denken Sie nicht schlecht von meinem Sohn. Don Juan ist mein einziger Sohn. Don Juan wird ein rührender Schwiegersohn sein, wenn er kommt, und ich kann nicht glauben, Komtur, daß er das Datum seiner

Hochzeit einfach vergessen hat, ich kann's nicht glauben.

DON GONZALO. Er hat einen langen Ritt, der junge Herr, und harte Tage hinter sich. Ich denke nicht schlecht von Ihrem Sohn, er hat sich trefflich geschlagen –

TENORIO. Ist das wahr?

DON GONZALO. Ich schmeichle nicht, weil Sie zufällig sein Vater sind, ich melde bloß, was die vaterländische Historie nie bestreiten wird: Er war der Held von Cordoba.

TENORIO. Ich hätte ihm das nicht zugetraut.

DON GONZALO. Auch ich, Vater Tenorio, habe es ihm nicht zugetraut, offen gesprochen. Meine Spitzel gaben ein bedenkliches Bild von dem jungen Herrn. Er mache Witze, hieß es, sogar über mich.

TENORIO. Junge, Junge!

DON GONZALO. Ich rief ihn in mein Zelt. Wozu, fragte ich unter vier Augen, wozu führen wir diesen Kreuzzug? Und wie er bloß lächelte, forschte ich weiter: Warum hassen wir die Heiden?

TENORIO. Was antwortete er?

DON GONZALO. Er hasse die Heiden nicht.

TENORIO. Junge, Junge!

DON GONZALO. Im Gegenteil, sagte er, wir könnten viel von den Heiden lernen, und wie ich ihn das nächste Mal traf, lag er unter einer Korkeiche und las ein Buch. Ein arabisches.

TENORIO. Geometrie, ich weiß, der Teufel hole die Geometrie.

DON GONZALO. Ich fragte, wozu er das lese.

TENORIO. Was, um Gottes willen, antwortete er?

DON GONZALO. Er lächelte bloß.

TENORIO. Junge, Junge!

DON GONZALO. Ich leugne nicht, Vater Tenorio, daß mich sein Lächeln oft ergrimmte. Es war ein ungeheuerlicher Befehl, als ich Ihren jungen Sohn nach Cordoba schickte, um die feindliche Festung zu messen; ich glaubte nicht, daß er es wagen würde. Ich wollte nur sehen, wie ihm sein Lächeln einmal vergeht. Und damit er mich ernstnehme. Am andern Morgen, als er in mein Zelt trat, unverwundet vom Scheitel bis zur Sohle, einen Zettel in der Hand, ich traute meinen Augen nicht, wie er mir die Länge der feindlichen Festung meldete – schwarz auf weiß: 942 Fuß.

TENORIO. Wie hat er das gemacht?

DON GONZALO. Don Juan Tenorio! so sprach ich und umarmte ihn vor allen Offizieren, die dasselbe nie gewagt haben: Ich habe dich verkannt, aber von dieser Stunde an nenne ich dich meinen Sohn, Bräutigam meiner Anna, Ritter des Spanischen Kreuzes, Held von Cordoba!
Musik erklingt.

TENORIO. Wie hat er das gemacht?

DON GONZALO. Ich fragte ihn auch.

TENORIO. Was antwortete er?

DON GONZALO. Er lächelte bloß –
Es erscheint Donna Elvira, Larven in der Hand.

DONNA ELVIRA. Die Maskerade hat begonnen! *Sie macht Tanzschritte zur Musik.* Drinnen tanzen sie schon.

DONNA ELVIRA. »Ich bin die Frau
Und der Teich mit dem Mond dieser Nacht,
Du bist der Mann
Und der Mond in dem Teich dieser Nacht,
Nacht macht uns eins,

Gesicht gibt es keins,
Liebe macht blind,
Die da nicht Braut und Bräutigam sind.«

PATER DIEGO. Wir warten auf den Bräutigam.

DONNA ELVIRA. Der Bräutigam ist da!

TENORIO. Mein Sohn?

DONNA ELVIRA. Sein Schimmel steht im Stall. Ich habe ihn erst aus der Ferne gesehen, aber Ihr Sohn, Vater Tenorio, ist der zierlichste Reiter, der sich je von einem Schimmel geschwungen hat, hopp! und wie er auf die Füße springt, als habe er Flügel.

DON GONZALO. Wo ist Donna Anna?

DONNA ELVIRA. Ich bin die Mutter der Braut, aber ich komme mir bräutlicher vor als mein Kind. Wir sind die letzten ohne Larven. Hoffentlich hält er nicht mich für seine Braut! Auch du, mein Gemahl, mußt eine Larve nehmen, Brauch ist Brauch, und wenn ich bitten darf, es werden keine Namen mehr genannt, sonst hat die ganze Maskerade keinen Sinn.

Es erscheint ein Paar in Larven.

SIE. Und ob du's bist! Ich wette mein Leben, du bist's. Laß mich deine Hände sehen.

ER. Das muß ein Irrtum sein.

SIE. Kein Mann hat Hände so wie du!

ER. Man hört uns.

Don Gonzalo und Tenorio ziehen ihre Larven an.

DON GONZALO. Gehen wir.

Don Gonzalo und Tenorio entfernen sich.

DONNA ELVIRA. Ein Wort, Pater Diego!

Das Larvenpaar küßt sich.

PATER DIEGO. Wer ist dieses schamlose Paar? Ich kenne ihre Stimme. Wenn das nicht die Miranda ist!

DONNA ELVIRA. Sie müssen sprechen mit ihr.

PATER DIEGO. Mit Miranda, der Dirne, hier im Schloß?

DONNA ELVIRA. Mit Donna Anna.

Das Larvenpaar küßt sich.

DONNA ELVIRA. Das arme Kind ist ganz verwirrt, sie will sich verstecken, Angst vor dem Mann, sie zittert an allen Gliedern, die Glückliche, seit sie weiß, daß er gekommen ist –

PATER DIEGO. – der zierlichste Reiter, der sich je von einem Schimmel geschwungen hat, hopp! und wie er auf die Füße springt, als habe er Flügel.

DONNA ELVIRA. Diego?

PATER DIEGO. Weiter!

DONNA ELVIRA. Wieso dieser finstere Blick?

PATER DIEGO. Wäre unsere spanische Kirche nicht so verbohrt in die Idee der Wohlfahrt, die bald einen Zehntel aller einlaufenden Almosen verschlingt, dann könnte auch unsereiner von einem Schimmel springen, Donna Elvira, anstatt von einem Maulesel zu rutschen.

DONNA ELVIRA. Diego! –

PATER DIEGO. Weiter!

DONNA ELVIRA. Ich habe nie geschworen, daß ich meine Untreue halte. Pater Diego! Wir wollen Freunde bleiben. Du scheinst zu vergessen, daß ich verheiratet bin, mein Lieber, und wenn ich mich je, was der Himmel verhüte, in einen Jüngling verliebe, so betrüge ich einzig und allein meinen Gemahl, nicht dich.

PATER DIEGO. Elvira –

DONNA ELVIRA. Das, mein Freund, ein für allemal!

PATER DIEGO. Scht.

DONNA ELVIRA. Gehen wir zu Donna Anna.

Donna Elvira und Pater Diego entfernen sich, es

*bleibt das Larvenpaar, dazu der junge Mann hinter
der Säule.*

SIE. Irrtum! – wie kannst du so reden? Dann wäre alles
ein Irrtum, was es gibt zwischen Mann und Weib.
Du meinst, ich kenne deinen Kuß nicht? Ich habe
dich gefunden und erkannt. Warum gibst du's nicht
zu? Du meinst, mit einer Larve kannst du mich täuschen. Muß ich meine Larve lösen, damit du mich
erkennst? Man wird mich auf die Gasse werfen,
wenn ich ohne Larve bin –
Sie nimmt ihre Larve ab.

ER. Miranda!?

SIE. Die Hure – ja: für sie.

ER. Wie kannst du es wagen –

SIE. Ich liebe dich. Ich habe es gewagt, ja, ich habe dich
gefunden unter Hunderten. Ich liebe dich. Warum
erschrickst du? Sie haben mich umarmt, aber es ist
wie Wasser gewesen, das durch ein Sieb geht, alles,
bis du mich gehalten hast mit deinen Händen. Warum schweigst du? Du hast keine Erfahrung mit
Frauen, hast du gesagt, und ich habe gelacht, das hat
dich verletzt, ich weiß, du hast mein Lachen miß-
deutet – und dann haben wir Schach gespielt.

ER. Schach?

SIE. Da habe ich deine Hände entdeckt.

ER. Ich spiele nicht Schach.

SIE. Ich habe gelacht, weil du mehr ahnst als alle Männer von Sevilla zusammen. Ich sah dich: vertieft in
dein Schach, der erste Mann, der den Mut hatte zu
tun, was ihn wirklich gelüstet, sogar im Freudenhaus.

ER. Ich heiße Don Roderigo.

SIE. Ausgerechnet!

ER. Was lachst du?

SIE. Don Roderigo! Du möchtest mich verhöhnen, ich verstehe, weil auch der mich umarmt hat. Don Roderigo, ich kenne ihn und alle die andern, die sich nur durch Namen unterscheiden, mich wundert oft, daß sie sich selber nicht verwechseln. Einer wie der andere! Noch wenn sie schweigen und umarmen, sind es Redensarten. Wie langweilig sie sind, Gesellen wie Don Roderigo, dein Freund. Du kannst nicht wissen, wie anders du bist, drum sag ich es dir.

ER. Und wenn ich trotzdem Don Roderigo bin, wenn ich es schwöre bei allem, was mir heilig ist?

SIE. Dann lache ich über alles, was einem Don Roderigo heilig ist, und halte deine Hände. Ich habe sie erkannt. Laß sie mich küssen. Es sind die Hände, die mich zu mir selber tragen, Hände, wie nur einer sie hat, und der bist Du: – Don Juan!

ER. Don Juan?

Sie küßt seine Hände.

Dort kannst du ihn sehn!

Er zeigt auf den jungen Mann, der jetzt hinter der Säule, wo er sich versteckt gehalten hat, hervorgetreten ist. Miranda sieht und schreit wie von einem Messer getroffen. Im gleichen Augenblick kommt eine Polonaise von Larven, Hand in Hand, Miranda wird in die Kette genommen und verschwindet mit den Larven.

DON RODERIGO. Juan, wo kommst du plötzlich her?

DON JUAN. Hör zu.

DON RODERIGO. Was treibst du dich im Park herum? Man erwartet dich, mein Freund, und alle fragen nach dem Bräutigam. Warum gehst du nicht hinein.

DON JUAN. Wenn du mein Freund bist, Roderigo, ich bitte dich um einen Dienst, nicht der Rede wert, für dich ist's eine Kleinigkeit, für mich hängt alles dran. Ich fühle es so klar: Jetzt und hier, in dieser Nacht, wird sich entscheiden, was fortan unaufhaltsam wird. Ich weiß es seit einer Stunde, Roderigo, und kann nichts dazu tun. Ich nicht! Plötzlich hängt's an einem dummen Schimmel, Entscheidung über unser ganzes Leben, es ist entsetzlich. Willst du mir helfen, Roderigo?

DON RODERIGO. Ich versteh kein Wort.

DON JUAN. Hol mir den Schimmel aus dem Stall!

DON RODERIGO. Wozu?

DON JUAN. Ich muß fort, Roderigo.

DON RODERIGO. Fort?

DON JUAN. Noch bin ich frei – *Gelächter im Schloß; Don Juan nimmt seinen Freund an der Schulter und zieht ihn in den dunklen Vordergrund.* – Roderigo, ich habe Angst.

DON RODERIGO. Du, der Held von Cordoba?

DON JUAN. Laß diesen Unsinn!

DON RODERIGO. Ganz Sevilla spricht von deinem Ruhm.

DON JUAN. Ich weiß, sie glauben's im Ernst, ich habe mich nach Cordoba geschlichen, um die Festung zu messen, ich setze mein Leben aufs Spiel für ihren Kreuzzug.

DON RODERIGO. Hast du das nicht getan?

DON JUAN. Wofür hältst du mich?

DON RODERIGO. Ich verstehe nicht . . .

DON JUAN. Geometrie für Anfänger, Roderigo! Aber nicht einmal wenn ich es ihnen in den Sand zeichne, verstehen es die Herren, drum reden sie von Wunder und Gott im Himmel, wenn unsre Mörser endlich treffen, und werden bös, wenn ich lächle. *Er sieht sich angstvoll um.* Roderigo –

DON RODERIGO. Wovor hast du Angst?

DON JUAN. Ich kann sie nicht sehen!

DON RODERIGO. Wen?

DON JUAN. Ich habe keine Ahnung mehr, wie sie aussieht.

DON RODERIGO. Donna Anna?

DON JUAN. Keine Ahnung. Keine Ahnung ... Ich bin geritten den ganzen Tag. Ich hatte Sehnsucht nach ihr. Ich ritt immer langsamer. Schon vor Stunden hätte ich hier sein können; als ich die Mauern von Sevilla sah, hockte ich an einer Zisterne, bis es dunkel wurde ... Roderigo, laß uns redlich sein!

DON RODERIGO. Gewiß.

DON JUAN. Woher weißt du es, wen du liebst?

DON RODERIGO. Mein lieber Juan –

DON JUAN. Antworte!

DON RODERIGO. Ich begreife dich nicht.

DON JUAN. Ich begreife mich selbst nicht, Roderigo. Da draußen an der Zisterne mit dem Spiegelbild im schwarzen Wasser – du hast recht, Roderigo, es ist seltsam ... Ich glaube, ich liebe. *Ein Pfau schreit.* Was war das? *Ein Pfau schreit.* Ich liebe. Aber wen?

DON RODERIGO. Donna Anna, deine Braut.

DON JUAN. Ich kann sie mir nicht vorstellen – plötzlich. *Eine Gruppe lustiger Larven huscht vorbei.*

DON JUAN. War sie dabei?

DON RODERIGO. Die Braut trägt keine Larve. Du bist von deinem Glück verwirrt, das ist alles, Juan. Laß uns hineingehen! Es ist Mitternacht vorbei.

DON JUAN. Ich kann nicht!

DON RODERIGO. Wo in aller Welt willst du denn hin?

DON JUAN. Fort.

DON RODERIGO. Zu deiner Geometrie?

DON JUAN. Wo ich weiß, was ich weiß: – ja ... Hier bin ich verloren. Als ich ums nächtliche Schloß ritt, sah ich im Fenster ein junges Weib: Ich hätte sie lieben können, die erste beste, jede, so gut wie meine Anna.

DON RODERIGO. Vielleicht war sie's.

DON JUAN. Vielleicht! Und darauf soll ich schwören, meinst du, wie ein Blinder, und jede kann kommen und sagen, sie sei's?

DON RODERIGO. Still!

DON JUAN. Du wirst mich nicht verraten, Roderigo, du hast mich nicht gesehen.

DON RODERIGO. Wohin?

Don Juan schwingt sich über die Balustrade und verschwindet im finsteren Park. Don Roderigo zieht seine Larve wieder an, während Pater Diego und Donna Anna erscheinen, beide larvenlos.

PATER DIEGO. Hier, mein Kind, sind wir allein.

DONNA ANNA. Nein.

PATER DIEGO. Wieso nicht?

DONNA ANNA. Ein Mann –!

DON RODERIGO. »Ich bin der Mann

Und der Mond in dem Teich dieser Nacht,

Du bist die Frau

Und der Teich mit dem Mond dieser Nacht,

Nacht macht uns eins,

Gesicht gibt es keins,

Liebe macht blind,

Die da nicht Braut und Bräutigam sind.«

Er verbeugt sich.

Gott segne Donna Anna, die Braut!

Don Roderigo entfernt sich.

DONNA ANNA. Vielleicht war er's?

PATER DIEGO. Der Bräutigam trägt keine Larve.

DONNA ANNA. Mir ist so bang.

PATER DIEGO. Kind! *Der Pfau schreit.* – das ist der Pfau, mein Kind, kein Grund, daß du erschrickst. Er sucht nicht dich, der arme Pfau, seit sieben Wochen wirbt er mit dieser heiseren Stimme und schlägt sein buntes Rad immerzu, damit die Donna Pfau ihn erhöre. Aber ihr, so scheint es, ist bang wie dir, ich weiß nicht, wo sie sich versteckt ... Was zitterst du?

DONNA ANNA. Ich liebe ihn ja – gewiß ...

PATER DIEGO. Und dennoch willst du dich verstecken vor ihm? Vor dem zierlichsten Reiter, der sich je von einem Schimmel geschwungen hat, hopp! und wie er auf die Füße springt, als habe er Flügel. Frag deine Mama! Deine Mama schwört, es habe eine solche Gestalt noch nie gegeben, und wenn ich auch am Gedächtnis deiner Mama zweifeln und als Pater daran erinnern muß, daß eine schlanke Gestalt noch nicht alles ist, o nein, sondern daß es auch innere Werte gibt, die ein Weib oft übersieht, Vorzüge der Seele, die mehr wiegen als ein dreifaches Doppelkinn – was ich habe sagen wollen: Kein Zweifel, mein Kind, es wird ein schlanker Jüngling sein, was jeden Augenblick, stolz wie ein Pfau, vor dir erscheinen soll – *Donna Anna will fliehen.* Bleib. *Er zieht sie auf die Bank zurück.* Wohin denn?

DONNA ANNA. Ich werde in Ohnmacht fallen.

PATER DIEGO. Dann wird er dich halten, bis du erwachst, mein Kind, in seinem Arm, und alles wird gut sein.

DONNA ANNA. Wo ist er?

PATER DIEGO. Im Schloß, denke ich. Er sucht seine Braut, wie es Brauch ist ... Die Heiden nannten es die Wilde Nacht. Ein wüster Brauch, sagt der Chronist; jedes paarte sich mit jedem, wie es sie gerade gelüstete, und niemand wußte in dieser Nacht, wen er umarmte. Denn alle trugen eine gleiche Larve und waren, so vermutet der Chronist, splitternackt, Männlein und Weiblein. Splitternackt. So war es bei den Heiden –

DONNA ANNA. Da kommt jemand!

PATER DIEGO. Wo?

DONNA ANNA. Es tönte so.

PATER DIEGO. Palmen im Wind . . .

DONNA ANNA. Ich bitte um Verzeihung, Pater Diego.

PATER DIEGO. So war es bei den Heiden, jedes paarte sich mit jedem, doch das ist lange her. – Die Christen nannten es die Nacht des Erkennens, und alles bekam einen frommen Sinn. Braut und Bräutigam waren fortan die einzigen, die sich in dieser Nacht umarmen durften, gesetzt, daß sie einander erkannten aus allen Larven heraus: kraft ihrer wahren Liebe. Ein schöner Sinn, ein würdiger Sinn, nicht wahr?

DONNA ANNA. Ja.

PATER DIEGO. Nur hat es sich leider nicht bewährt, sagt der Chronist, solange Braut und Bräutigam noch eine Larve trugen wie alle andern. Es gab, sagt der Chronist, zuviel Verwechslungen . . . Warum hörst nicht zu?

DONNA ANNA. Es kommt jemand!

Donna Elvira kommt aus dem Schloß.

DONNA ELVIRA. Pater Diego!

PATER DIEGO. Was ist geschehn?

DONNA ELVIRA. Kommen Sie! Aber geschwind! Kommen Sie!

*Pater Diego folgt dem Alarm, und Donna Anna
sitzt plötzlich allein in der Nacht. Der Pfau wiederholt seinen heiseren Schrei. Plötzlich von Grausen
gepackt flieht sie über die gleiche Balustrade wie
Don Juan zuvor und verschwindet im finsteren Park,
um ihm zu entgehen. Donna Elvira kommt zurück.*

DONNA ELVIRA. Anna! Wo ist sie denn? Anna!

Pater Diego kommt zurück.

PATER DIEGO. Natürlich ist sie eine Dirne, Miranda
heißt sie, jedermann kennt ihren Namen, ein armes
Geschöpf, das hier nichts zu suchen hat. Natürlich
gehört sie auf die Gasse. *Er sieht die leere Bank.* Wo
ist Donna Anna?

DONNA ELVIRA. Anna? Anna!

PATER DIEGO. Sie wird schon drinnen sein . . .

*Donna Elvira und Pater Diego gehen hinein, Stille,
der Pfau wiederholt seinen heiseren Schrei.*

Intermezzo

Vor dem Zwischenvorhang erscheinen Celestina und Miranda.

CELESTINA. Heul nicht! sag ich. Und red mir keinen Kitsch. Wenn du nicht weißt, was sich gehört für eine Dirne: hier ist dein Bündel.

MIRANDA. Celestina?

CELESTINA. Du triefst ja von Seele.

MIRANDA. Celestina, wo soll ich denn hin?

CELESTINA. Verliebt! Und du wagst dich unter meine Augen? Verliebt in einen einzelnen Herrn. – Hier ist dein Bündel, und damit basta! ... Hab ich euch nicht immer und immer gewarnt: Laßt eure Seel aus dem Spiel? Ich kenne das Schlamassel der wahren Liebe. Wie sonst käme ich dazu, meinst du, ein Bordell zu führen? Ich kenne das Geschluchz, wenn's an die Seele geht. Einmal und nie wieder! Das hab ich mir geschworen. Bin ich nicht wie eine Mutter zu euch? Ein Geschöpf wie du, Herrgott, schön und verkäuflich, plötzlich wimmerst du wie ein Tier und schwatzest wie ein Fräulein: Seine Hände! Seine Nase! Seine Stirn! Und was hat er noch, dein Einziger? So sag es schon. Seine Zehen! Seine Ohrläppchen! Seine Waden! So sag es schon: Was hat er andres als alle die andern? Aber ich hab's ja kommen sehen, diese verschlagenen Augen schon seit Wochen – diese Innerlichkeit!

MIRANDA. O Celestina, er ist nicht wie alle.

CELESTINA. Hinaus!

MIRANDA. O Celestina –

CELESTINA. Hinaus! sage ich. Zum letzten Mal. Ich dulde keinen Kitsch auf meiner Schwelle. Verliebt in eine Persönlichkeit! das hat mir noch gefehlt. Und das wagst du mir ins Gesicht zu sagen, mir, Spaniens führender Kupplerin: Du liebst eine Persönlichkeit?

MIRANDA. Ja, Gott steh mir bei.

Celestina ist sprachlos.

MIRANDA. Ja.

CELESTINA. So dankst du mir für deine Erziehung.

MIRANDA. O Celestina –

CELESTINA. O Celestina, o Celestina! Du kannst dich lustig machen über mich, meinst du, mitten in der Nacht? Du kannst mich belügen wie einen Mann, das meinst du? Gott steh dir bei, ja, du hast es nötig; denn ich steh dir nicht bei, so wahr ich Celestina heiße. Ich weiß, was ich meinem Namen schuldig bin. Wozu denn, meinst du, kommen die Herren zu uns? Damit du dich verliebst, damit du sie unterscheidest? Ich sag's euch Tag für Tag: Mädchen gibt's auch draußen, Frauen von jeglichem Alter und von jeglicher Bereitschaft, verheiratete, unverheiratete, was einer nur will. Also wozu kommen sie hierher? Ich will es dir sagen, mein Schätzchen: Hier, mein Schätzchen, erholt sich der Mann von seinen falschen Gefühlen. Das nämlich ist's, wofür sie zahlen mit Silber und Gold. Was hat Don Octavio gesagt, der weise Richter, als sie mein Haus haben schließen wollen? Laßt mir die brave Hurenmutter in Ruh! hat er gesagt, und zwar öffentlich: Solang wir eine Belletristik haben, die soviele falsche Gefühle in die Welt setzt, kommen wir nicht umhin – nicht umhin! hat er gesagt, und das heißt: ich bin staatlich geschützt. Meinst du, ich wäre staatlich geschützt, wenn ich etwas Ungehöriges zuließe? Ich verkaufe hier keine Innerlichkeit. Verstanden? Ich verkaufe keine Mädchen, die innen herum von einem andern träumen. Das, mein Schätzchen, haben unsre Kunden auch zuhaus! – Nimm dein Bündel, sag ich, und verschwinde.

MIRANDA. Was soll ich tun?

CELESTINA. Heirate.

MIRANDA. Celestina –

CELESTINA. Du verdienst es. Heirate! Du hättest eine großartige Dirne sein können, die beste zur Zeit, gefragt und verwöhnt. Aber nein! lieben mußt du. Bitte! Eine Dame willst du sein. Bitte! Du wirst noch an uns denken, mein Schätzchen, wenn es zu spät ist. Eine Dirne verkauft nicht ihre Seele –
Miranda schluchzt.

CELESTINA. Ich habe dir gesagt, was ich denke. Heul nicht auf meiner Schwelle herum, wir sind ein Freudenhaus.
Sie geht.

MIRANDA. Ich liebe . . .

Zweiter Akt

Saal im Schloß
Donna Anna sitzt als Braut gekleidet, umringt von
geschäftigen Frauen, Donna Inez kämmt die Braut.

DONNA INEZ. Laßt es genug sein! Ich stecke den Schleier
allein, ich bin die Brautführerin. Nur den Spiegel
brauchen wir noch. *Die Frauen entfernen sich.* Wieso ist dein Haar so feucht? Das läßt sich kaum käm-
men, so feucht. Sogar Erde ist drin. Wo bist du
gewesen? Und Gras ...
Donna Anna schweigt gradaus.

DONNA INEZ. Anna?

DONNA ANNA. Ja.

DONNA INEZ. Du mußt erwachen, meine Liebe, deine
Hochzeit ist da. Sie läuten schon die Glocken, hörst
du nicht? Und die Leute, sagt Roderigo, stehen schon
auf allen Balkonen, es wird eine Hochzeit geben,
wie Sevilla noch keine erlebt hat, meint er ...

DONNA ANNA. Ja.

DONNA INEZ. Du sagst Ja, als gehe dich alles nichts an.

DONNA ANNA. Ja.

DONNA INEZ. Schon wieder Gras! Ich möchte bloß wissen, wo du gewesen bist in deinem Traum ... *Sie*
kämmt, dann nimmt sie den Spiegel zur Hand. Anna,
ich hab ihn gesehen!

DONNA ANNA. Wen?

DONNA INEZ. Durchs Schlüsselloch. Du fragst: wen? Wie
ein gefangener Tiger geht er hin und her. Einmal
blieb er plötzlich stehen, zog seine Klinge und be-

trachtete sie. Wie vor einem Duell. Aber ganz in Weiß, Anna, ganz in schillernder Seide.

DONNA ANNA. Wo bleibt der Schleier?

DONNA INEZ. Ich sehe euch schon, und wie sie dann deinen Schleier heben, der schwarz ist wie die Nacht, und der Pater wird fragen: Don Juan, erkennest du sie? Donna Anna, erkennest du ihn?

DONNA ANNA. Und wenn wir uns nicht erkennen?

DONNA INEZ. Anna!

DONNA ANNA. Gib mir den Schleier.

DONNA INEZ. Erst schau dich im Spiegel!

DONNA ANNA. Nein.

DONNA INEZ. Anna, du bist schön.

DONNA ANNA. Ich bin glücklich. Wäre es schon wieder Nacht! Ich bin eine Frau. Sieh unsre Schatten an der Mauer, hat er gesagt, das sind wir: ein Weib, ein Mann! Es war kein Traum. Schäme dich nicht, sonst schäme ich mich auch! Es war kein Traum. Und wir haben gelacht, er nahm mich und fragte keinen Namen, er küßte meinen Mund und küßte, damit auch ich nicht fragte, wer er sei, er nahm mich und trug mich durch den Teich, ich hörte das Wasser um seine watenden Beine, das schwarze Wasser, als er mich trug –

DONNA INEZ. Dein Bräutigam?

DONNA ANNA. Er und kein andrer wird mein Bräutigam sein, Inez. Das ist alles, was ich weiß. Er und kein andrer. Ich werde ihn erkennen in der Nacht, wenn er mich erwartet am Teich. Kein andrer Mann in der Welt hat je ein Recht auf mich. Er ist mir vertrauter, als ich es mir selber bin.

DONNA INEZ. Still!

DONNA ANNA. O, wäre es schon Nacht!

DONNA INEZ. Sie kommen.

DONNA ANNA. Gib mir den Schleier!

Es kommen Don Gonzalo und Pater Diego.

DON GONZALO. Die Stunde ist da. Ich bin kein Mann der blühenden Rede. Was ein Vater empfinden muß an diesem Tag, mein Kind, laß es dir sagen mit diesem Kuß.

PATER DIEGO. Wo bleibt der Schleier?

DONNA INEZ. Sogleich.

PATER DIEGO. Macht euch bereit, macht euch bereit!

Donna Inez und Donna Anna entfernen sich.

PATER DIEGO. Wir sind allein. Worum handelt es sich? Sprechen Sie ganz offen, Komtur. Warum sollen wir einander nicht verstehen, ein Ehemann und ein Mönch? *Sie setzen sich.* Nun?

DON GONZALO. – wie gesagt, wir ritten also in die Burg von Cordoba, wo Muhamed mich empfing, der Heidenfürst, weinend über seine Niederlage, und die Höflinge ringsum weinten ebenfalls. Dies alles, sagte Muhamed, gehört Euch, Held der Christen, nehmt es und genießt es! Ich staunte über soviel Pracht; Paläste gibt es da, wie ich sie im Traum noch nie gesehen habe, Säle mit glimmernden Kuppeln darüber, Gärten voll Wasserkunst und Duft der Blumen, und Muhamed selbst, neuerdings weinend, gab mir den Schlüssel zu seiner Bibliothek, die ich sofort verbrennen ließ.

PATER DIEGO. Hm.

DON GONZALO. Und hier, sagte Muhamed, indem er neuerdings weinte, hier ist mein Harem gewesen. Die Mädchen weinten ebenfalls. Es duftete seltsam nach Gewürzen. Dies alles, sagte er, gehört Euch, Held der Christen, nehmt es und genießt es!

PATER DIEGO. Hm.

DON GONZALO. Es duftete seltsam nach Gewürzen.

PATER DIEGO. Das sagten Sie schon.

DON GONZALO. Nehmt es und genießt es! sagte er –

PATER DIEGO. Wie viele waren's?

DON GONZALO. Mädchen?

PATER DIEGO. Ungefähr.

DON GONZALO. Sieben oder neun.

PATER DIEGO. Hm.

DON GONZALO. Ich möchte nicht einer heiligen Trauung beiwohnen, Pater Diego, ohne vorher gebeichtet zu haben.

PATER DIEGO. Ich verstehe.

DON GONZALO. Nämlich es handelt sich um meine Ehe.

PATER DIEGO. Sie erschrecken mich.

DON GONZALO. Siebzehn Jahre habe ich die Treue gewahrt –

PATER DIEGO. Das ist berühmt. Ihre Ehe, Don Gonzalo, ist die einzige vollkommene Ehe, die wir den Heiden da drüben zeigen können. Die Heiden mit ihrem Harem haben es leicht, Witze zu machen über unsere Skandale in Sevilla. Ich sage immer: Wenn Spanien nicht einen Mann hätte wie Sie, Komtur, als Vorbild der spanischen Ehe – Doch sprechen Sie weiter!

DON GONZALO. Das alles, sagte er, gehört Euch –

PATER DIEGO. Nehmt es und genießt es!

DON GONZALO. Ja –

PATER DIEGO. Es duftete seltsam.

DON GONZALO. Ja –

PATER DIEGO. Weiter!

DON GONZALO. Die Mädchen verstehen bloß arabisch, sonst wäre es nie so weit gekommen; als sie mich entkleideten, wie sollte ich ihnen erklären, daß ich verheiratet bin und was das bedeutet für unsereinen?

PATER DIEGO. Die Mädchen entkleideten Sie?

DON GONZALO. So hat Muhamed sie gelehrt.

PATER DIEGO. Weiter.

DON GONZALO. Pater Diego, ich habe eine Sünde begangen.

PATER DIEGO. Ich höre.

DON GONZALO. Eine Sünde im Geist.

PATER DIEGO. Wieso im Geist?

DON GONZALO. Ich habe die Treue verflucht!

PATER DIEGO. Und dann?

DON GONZALO. Verflucht die siebzehn Jahre der Ehe!

PATER DIEGO. Aber was haben Sie getan?

DON GONZALO. Getan –

PATER DIEGO. Zittern Sie nicht, Don Gonzalo, reden Sie offen; der Himmel weiß es ohnehin.

DON GONZALO. Getan –

PATER DIEGO. Wir alle sind Sünder.

DON GONZALO. Getan habe ich nichts.

PATER DIEGO. Warum nicht?

Auftreten in festlichen Gewändern: Donna Elvira, Tenorio, Don Roderigo, die drei Vettern und allerlei Mädchen, Weihrauchknaben, Posaunenbläser.

DONNA ELVIRA. Mein Gemahl! Man ist bereit. Mit Weihrauch und Posaunen wie vor siebzehn Jahren! Man möchte noch einmal jung sein –

DON GONZALO. Wo ist der Bräutigam?

DONNA ELVIRA. Ich finde ihn herrlich!

DON GONZALO. Ich fragte, wo er ist.

DON RODERIGO. Don Juan, mein Freund, bittet um Nachsicht, daß er gestern nacht das große Fest versäumte. Müde wie er war von seinem langen Ritt, so sagt er, habe er ein Weilchen ruhen wollen, bevor er sich den Schwiegereltern zeigte und der Braut. Und so, sagt er, sei es gekommen, daß er die Nacht im Park verschlief, bis ihn die Hähne weckten. Das ist's, was ich bestellen soll. Er ist verwirrt. Er getraut sich nicht zu seiner Hochzeit zu erscheinen, wenn ich ihm nicht versichern kann, daß ihm sein Schlaf im Park verziehen ist.

DONNA ELVIRA. Er getraut sich nicht! Er ist der artigste Bräutigam, der mir je begegnet ist. Ich wüßte nichts, was ich ihm nicht verzeihen möchte. *Don Roderigo verbeugt sich und geht.* Ich habe ihn in der Loggia überrascht, ich kam von hinten. Warum er seine Fingernägel beiße, fragte ich ihn, und er starrte mich bloß an. Donna Anna? fragte er verwirrt, als wäre ich seine Braut, als könne er sich nicht besinnen, wie sie aussieht. Als wäre ich seine Braut! Er grüßte nicht einmal, als ich meinen Rock raffte und ging, sondern starrte mir bloß nach; ich sah es im Spiegel. So benommen ist er, so ganz und gar in sich gekehrt –

TENORIO. Das will ich hoffen.

DONNA ELVIRA. – wie vor einer Hinrichtung.

Posaunen ertönen, Don Roderigo kommt mit Don Juan.

TENORIO. Mein Sohn!

DON JUAN. Mein Papa.

TENORIO. Die Sitte will es, daß ich ein paar Worte sage, obschon mir fast das Herz bricht, Gott weiß es, denn zum ersten Mal sehe ich dich als Bräutigam – zum ersten Mal, meine verehrten Freunde verstehen schon, was ich sagen möchte: zum ersten und hoffentlich, mein Sohn, zum letzten Mal ...

DONNA ELVIRA. Wir verstehen.

TENORIO. Die Sitte will es –

PATER DIEGO. Machen Sie es kurz.

TENORIO. Geb's Gott! Geb's Gott!

Don Juan kniet nieder und läßt sich segnen.

DONNA ELVIRA. Wie süß er kniet.

PATER DIEGO. Was sagen Sie?

DONNA ELVIRA. Wie süß er kniet.

Don Juan erhebt sich.

DON GONZALO. Mein Sohn!

DON JUAN. Mein Schwiegervater.

DON GONZALO. Auch ich bin kein Mann der blühenden Rede, aber was ich sage, kommt von Herzen, und drum fasse ich mich kurz.

Don Juan kniet neuerdings nieder.

DON GONZALO. Die Stunde ist da –

DONNA ELVIRA. Mehr wird ihm nicht einfallen, Pater Diego, lassen Sie die Posaunen blasen, ich kenne ihn, mehr wird ihm nicht einfallen.

DON GONZALO. Die Stunde ist da –

TENORIO. Geb's Gott!

DON GONZALO. Geb's Gott!

Die beiden Väter umarmen einander, Posaunen ertönen, es erscheint die verschleierte Braut, von Donna Inez geführt; eine schöne Zeremonie endet damit, daß Don Juan, seidenweiß, und die Braut, seidenweiß mit schwarzem Schleier, einander gegenüberstehen, zwischen ihnen der Pater, alle übrigen knien.

PATER DIEGO.

»Herr, wer darf Gast sein in deinem Zelte?

Wer darf weilen auf deinem heiligen Berge?

Der unsträflich wandelt und Gerechtigkeit übt

und die Wahrheit redet von Herzen;
der Wort hält, auch wenn er sich zum Schaden
geschworen.
Wer das tut, wird nimmer wanken.« Amen. –
Posaunen

PATER DIEGO. Du: Donna Anna, Tochter des Don Gonzalo von Ulloa, Komtur von Sevilla. Und du: Don
Juan, Sohn des Tenorio, Bankier von Sevilla. Ihr
beide, gekleidet als Braut und Bräutigam, gekommen aus dem freien Entschluß eurer Herzen, willens,
die Wahrheit zu sprechen vor Gott, eurem Schöpfer
und Herrn, antwortet mit klarer und voller Stimme
auf die Frage, so ich euch stelle im Angesicht des
Himmels und der Menschen, auf daß sie eure Zeugen sind auf Erden: Erkennet ihr euch von Angesicht
zu Angesicht? *Donna Anna wird entschleiert.* Donna
Anna, erkennest du ihn? Antworte.

DONNA ANNA. Ja!

PATER DIEGO. Antworte, Don Juan, erkennst du sie?
Don Juan schweigt wie versteinert.

PATER DIEGO. Antworte, Don Juan, erkennest du sie?

DON JUAN. Ja ... allerdings ... o ja!
Posaunen

PATER DIEGO. So antwortet denn auf die andere Frage.

DONNA ELVIRA. Wie erschüttert er ist!

PATER DIEGO. Da ihr euch also erkennt, Donna Anna
und Don Juan, seid ihr entschlossen und bereit, einander die Hand zu reichen zum ewigen Bündnis der
Ehe, die euch behüte, auf daß nicht Satan, der ge-
fallene Engel, das himmlische Wunder der Liebe
verwandle in irdische Pein: seid ihr also bereit zu
geloben, daß keine andere Liebe je in eurem Herzen
sein soll, solang ihr lebt, denn diese, die wir weihen im

Namen des Vaters, des Sohnes, des Heiligen Geistes. *Alle bekreuzigen sich.* Ich frage dich, Donna Anna.

DONNA ANNA. Ja!

PATER DIEGO. Ich frage dich, Don Juan.

DON JUAN. – – – Nein.

Posaunen

PATER DIEGO. So lasset uns beten.

DON JUAN. Ich sage: Nein. *Der Pater beginnt zu beten.* Nein! *Alle Knienden beginnen zu beten.* Ich habe gesagt: Nein. *Das Gebet verstummt.* Ich bitte Sie, Freunde, erheben Sie sich.

DON GONZALO. Was sagt er?

TENORIO. Junge, Junge!

DON GONZALO. Nein – sagt er?

DON JUAN. Ich kann nicht. Unmöglich. Ich bitte um Entschuldigung... Warum erhebt ihr euch denn nicht?

PATER DIEGO. Was soll das heißen?

DON JUAN. Ich sag es ja: Ich kann das nicht schwören. Unmöglich. Ich kann nicht. Wir haben einander umarmt in dieser Nacht, natürlich erkenne ich sie –

DON GONZALO. Was sagt er?

DON JUAN. Natürlich erkennen wir uns.

DON GONZALO. Umarmt? sagt er. Umarmt?

DON JUAN. Davon wollte ich nicht sprechen ...

DONNA ANNA. Es ist aber die Wahrheit.

PATER DIEGO. Weg, ihr Buben, weg mit dem Weihrauch!

DON JUAN. Wir trafen einander im Park. Zufällig. Gestern in der Finsternis. Und auf einmal war alles so natürlich. Wir sind geflohen. Beide. Aber im Finstern, da wir nicht wußten, wer wir sind, war es ganz einfach. Und schön. Und da wir uns liebten, haben wir auch einen Plan gemacht – jetzt kann ich es ja verraten: Heute nacht, beim Teich, wollten wir uns wiedersehen. Das war unser Schwur. Und ich wollte das Mädchen entführen.

DON GONZALO. Entführen?

DON JUAN. Ja.

DON GONZALO. Meine Tochter?

DON JUAN. Ich hatte wirklich keine Ahnung, Don Gonzalo, daß sie es ist –

DON GONZALO. Hast du verstanden, Elvira?

DONNA ELVIRA. Besser als du.

DON JUAN. Wäre ich nicht so sonderbar müde gewesen, so daß ich bis zum Morgengrauen schlief, Ehrenwort, ich hätte euch diese große Veranstaltung erspart. Was sollte ich tun? Es war zu spät. Ich hörte die Posaunen und wußte keinen andern Rat, ich dachte: Ich werde einen Meineid schwören. Entrüstet euch, ja, so stehe ich da: Ich nehme eure Hochzeit als Spiel, so dachte ich, und dann in der Nacht, wenn es abermals dunkel ist... *Er starrt auf Donna Anna:* – Gott weiß es, darauf war ich nicht gefaßt!

PATER DIEGO. Worauf?

DON JUAN. Daß du es bist.

TENORIO. Junge, Junge!

DON JUAN. Nur wegen Weihrauch und Posaunen, Papa, kann ich nicht schwören, was ich nicht glaube, und ich glaube mir selbst nicht mehr. Ich weiß nicht, wen ich liebe. Ehrenwort. Mehr kann ich nicht sagen. Das beste wird sein, man läßt mich gehen, je rascher um so besser. *Er verneigt sich.* – Ich selber bin bestürzt.

DON GONZALO. Verführer!

Don Juan will gehen.

DON GONZALO. Nur über meine Leiche! *Er zieht den Degen.* Nur über meine Leiche!

DON JUAN. Wozu?

DON GONZALO. Nur über meine Leiche!

DON JUAN. Das ist nicht Ihr Ernst.

DON GONZALO. Fechten Sie!

DON JUAN. Ich denke nicht daran.

DON GONZALO. Sie kommen nicht aus diesem Haus, so wahr ich Don Gonzalo heiße, nur über meine Leiche!

DON JUAN. Ich möchte aber nicht töten.

DON GONZALO. Nur über meine Leiche!

DON JUAN. Was ändert das? *Er wendet sich nach der andern Seite.* Ihr Gemahl, Donna Elvira, möchte mich zu seinem Mörder machen; gestatten Sie mir einen anderen Ausgang! *Er verbeugt sich vor Donna Elvira, indem er sich nach der andern Seite entfernen will, aber in diesem Augenblick haben auch die drei Vettern ihre Klingen gezogen, und er sieht sich umstellt.* Wenn das euer Ernst ist –

DON GONZALO. Tod dem Verführer!

DIE DREI. Tod!

Don Juan zieht seinen Degen.

DIE DREI. Tod dem Verführer!

DON JUAN. Ich bin bereit.

DONNA ELVIRA. Halt!

DON JUAN. Ich fürchte mich nicht vor Männern.

DONNA ELVIRA. Halt! *Sie tritt dazwischen.* Vier gegen einen! Und kaum wissen wir, warum der Jüngling so verwirrt ist. Seid ihr von Sinnen? Ich bitte um Verstand. Und zwar sofort! *Die Klingen werden gesenkt.* Pater Diego, warum sagen Sie denn kein Wort?

PATER DIEGO. Ich –

DON JUAN. Was soll der Pater schon sagen? Er versteht mich am allerbesten. Wieso hat er denn nicht geheiratet?

PATER DIEGO. Ich?

DON JUAN. Zum Beispiel Donna Elvira?

PATER DIEGO. Bei Gott –

DON JUAN. Er nennt es Gott, ich nenne es Geometrie; jeder Mann hat etwas Höheres als das Weib, wenn er wieder nüchtern ist.

PATER DIEGO. Was soll das heißen?

DON JUAN. Nichts.

PATER DIEGO. Was soll das heißen?

DON JUAN. Ich weiß, was ich weiß. Man reize mich nicht! Ich weiß nicht, ob der Komtur es weiß.

TENORIO. Junge, Junge!

DON JUAN. Es bricht dir das Herz, Papa, ich weiß, das sagst du schon seit dreizehn Jahren, es würde mich nicht wundern, Papa, wenn du eines Tages stirbst. *Zu den Vettern:* Fechten wir nun oder fechten wir nicht?

DONNA ELVIRA. Lieber Juan –

DON JUAN. Ich bin Kavalier, Donna Elvira, ich werde eine Dame nicht bloßstellen. Seien Sie getrost. Aber ich lasse mich nicht zum Dummen machen, bloß weil ich jung bin.

DONNA ELVIRA. Mein lieber Juan –

DON JUAN. Was will man von mir?

DONNA ELVIRA. Antwort auf eine einzige Frage. *Zu den Vettern:* Steckt eure Klingen ein, ich warte darauf. *Zu Don Gonzalo:* Du auch! *Die Vettern stecken ihre Klingen ein . . .* Don Juan Tenorio, Sie sind gekommen, um Anna zu heiraten, Ihre Braut.

DON JUAN. Das war gestern.

DONNA ELVIRA. Ich verstehe Sie, plötzlich hatten Sie eine Scheu. Wie Anna auch. Sie flohen in den Park. Wie Anna auch. Sie hatten Scheu vor der Erfüllung.

War es nicht so? Dann aber, in der Finsternis, fandet ihr euch, ahnungslos, wer ihr seid, und es war schön.

DON JUAN. Sehr.

DONNA ELVIRA. Namenlos.

DON JUAN. Ja.

DONNA ELVIRA. Sie wollten die Braut, die Sie betrogen, nicht heiraten. Sie wollten mit dem Mädchen fliehen, mit dem andern, Sie wollten es entführen –

DON JUAN. Ja.

DONNA ELVIRA. Warum tun Sie es nicht?

DON JUAN. Warum –

DONNA ELVIRA. Sehen Sie denn nicht, wie das Mädchen Sie erwartet, Sie und keinen andern, wie es strahlt, daß Sie, der Bräutigam und der Entführer, ein und derselbe sind?

DON JUAN. Ich kann nicht.

DONNA ELVIRA. Warum?

DON GONZALO. Warum! Warum! Hier gibt es kein Warum! *Er hebt neuerdings die Klinge.* Tod dem Schänder meines Kindes!

DONNA ELVIRA. Mein Gemahl –

DON GONZALO. Fechten Sie!

DONNA ELVIRA. Mein Gemahl, wir sind in einem Gespräch.

DON JUAN. Ich kann nicht. Das ist alles, was ich sagen kann. Ich kann nicht schwören. Wie soll ich wissen, wen ich liebe? Nachdem ich weiß, was alles möglich ist – auch für sie, meine Braut, die mich erwartet hat, mich und keinen andern, selig mit dem ersten besten, der zufällig ich selber war ...

DON GONZALO. Fechten Sie!

DON JUAN. Wenn Sie es nicht erwarten können, Ihr

marmornes Denkmal, fangen Sie an! *Er lacht.* Sie werden mir unvergeßlich bleiben, Held der Christen, wie Sie im Harem von Cordoba standen. Nehmt und genießt! Ich habe Sie gesehen ... Fangen Sie an! – ich bin sein Zeuge: die maurischen Mädchen haben alles versucht, um ihn zu versuchen, unseren Kreuzritter der Ehe, aber vergeblich, ich schwör's, ich habe ihn gesehen, so bleich und splitternackt, seine Hände haben gezittert, der Geist war willig, doch das Fleisch war schwach ... Fangen Sie an!
Don Gonzalo läßt den Degen fallen.

DON JUAN. Ich bin bereit.

DONNA ELVIRA. Juan –

DON JUAN. Am besten, ich sagte es gleich, man läßt mich gehen; ich fühle, meine Höflichkeit läßt nach. *Er steckt die Klinge zurück.* Ich werde Sevilla verlassen.

DONNA ANNA. Juan –

DON JUAN. Lebwohl! *Er küßt Donna Anna die Hand.* Ich habe dich geliebt, Anna, auch wenn ich nicht weiß, wen ich geliebt habe, die Braut oder die andere. Ich habe euch beide verloren, beide in dir. Ich habe mich selbst verloren. *Er küßt nochmals ihre Hand.* Lebwohl!

DONNA ANNA. Lebwohl –
Don Juan entfernt sich.

DONNA ANNA. Vergiß nicht, Juan: am Teich, wenn es Nacht ist – heute – wenn es Nacht ist – Juan? – Juan! ...
Sie geht ihm nach.

PATER DIEGO. So läßt man diesen Frevler einfach ziehen?

DON GONZALO. Der Himmel zerschmettere ihn!

PATER DIEGO. Das kann auch ein Pater sagen. Der Himmel!

DON GONZALO. Verfolgt ihn! Los! Umzingelt den Park! Los! Laßt alle Hunde von der Kette und umzingelt den Park! Los, ihr alle, los!

Es bleiben Donna Elvira und Tenorio.

TENORIO. Es bricht mir das Herz, Donna Elvira, wenn ich sehe, wie mein Sohn sich benimmt.

DONNA ELVIRA. Ich finde ihn herrlich.

TENORIO. Wie stehe ich da?

DONNA ELVIRA. Das ist es, Vater Tenorio, was in diesem Augenblick uns alle, glauben Sie mir, am mindesten beschäftigt.

TENORIO. Mein eignes Fleisch und Blut: mit Hunden gehetzt! Und dabei glaube ich es nicht einmal, daß er eure Tochter verführt hat, einer, der sich so wenig aus den Frauen macht wie mein Sohn. Ich kenne ihn! Am Ende ist es nur ein Lug und Trug, damit er wieder zu seiner Geometrie kommt, herzlos wie er ist. Nicht einmal wundern würde es ihn, wenn ich eines Tages stürbe – Sie haben es gehört – nicht einmal wundern!

Man hört Hundegebell, Pater Diego kommt zurück.

PATER DIEGO. Auch Sie, Vater Tenorio, los!

Donna Elvira bleibt allein.

DONNA ELVIRA. Ich finde ihn herrlich!

Don Juan stürzt herein.

DON JUAN. Niedermachen werde ich sie, die ganze Meute, ich heirate nicht, niedermachen werde ich sie.

DONNA ELVIRA. Komm!

DON JUAN. Wohin?

DONNA ELVIRA. In meine Kammer –

Tenorio kommt mit gezücktem Degen und sieht, wie

Don Juan und Donna Elvira einander umarmen
und in die Kammer fliehen.

TENORIO. Junge, Junge!
Es kommen die Verfolger mit blanken Klingen und
mit einer Meute wilder Hunde, die an den Leinen
reißen.

DON GONZALO. Wo ist er?
Tenorio greift an sein Herz.

DON GONZALO. Los! Umzingelt den Park!
Die Verfolger stürzen davon.

TENORIO. Ich – sterbe . . .

Intermezzo

*Vor dem Zwischenvorhang erscheinen Miranda, ver-
kleidet als Braut, und Celestina mit Nähzeug.*

CELESTINA. Eins nach dem andern, Schätzchen, eins
nach dem andern. Du kommst schon noch zur rechten Zeit. So eine Hochzeit dauert lang mit allen
Reden dazu.

MIRANDA. Es darf mich niemand erkennen, Celestina,
sie würden mich peitschen lassen und an den Pran-
ger binden. Gott steh mir bei! *Sie muß stillstehen,
damit Celestina nähen kann.* Celestina –

CELESTINA. Wenn du zitterst, kann ich nicht nähen.

MIRANDA. Celestina, und du findest wirklich, ich sehe
aus wie eine Braut?

CELESTINA. Zum Verwechseln. *Sie näht.* Ich sage dir,
Männer sind das Blindeste, was der liebe Herrgott
erschaffen hat. Ich bin Schneiderin gewesen, Schätzchen, und du kannst es mir glauben. Falsche Spitzen
oder echte Spitzen, das sehn die wenigsten, bevor
sie's zahlen müssen. Ich sage dir: Was ein Mann ist,
sieht immer nur das Wesentliche.

MIRANDA. Celestina, ich kann kaum atmen.

CELESTINA. Das läßt sich richten. Es spannt dich um
den Busen, ich seh's, du bist keine Jungfrau. Wir
trennen einfach die Naht unterm Arm, eine Kleinigkeit. Das sieht er nicht, oder erst wenn es zu
spät ist. Aber nicht zittern! Sonst steche ich dich.
Was hast du denn darunter an?

MIRANDA. Darunter? – nichts.

CELESTINA. Das ist immer das beste.

MIRANDA. Wo's eh schon so knapp ist.

CELESTINA. In der Unterwäsche nämlich sind sie komisch, gerade die feineren Herrn. Plötzlich entsetzt sie ein Rosa oder Lila, und sie sind befremdet über deinen Geschmack. Wie wenn man über Romane redet, plötzlich seufzt so ein Geck: Wir sind zwei Welten! und blickt zum Fenster hinaus. Drum sag ich euch immer, redet nicht über Romane! Plötzlich hat man die Kluft. Und mit der Unterwäsche genau so. Es gibt Männer, die vor keiner Fahne fliehen, aber ein rosa Fetzchen auf dem Teppich, und weg sind sie. Über Geschmack läßt sich nicht streiten. Keine Unterwäsche ist besser; es bestürzt, aber es befremdet nie.

MIRANDA. Celestina –

CELESTINA. Nicht zittern, Schätzchen, nicht zittern!

MIRANDA. Ich weiß nicht, ob ich's wage, Celestina, hoffentlich ist es keine Versündigung, was ich vorhabe.

CELESTINA. Jetzt spannt es schon nicht mehr, siehst du, und der Busen ist straff genug ... Was hast du denn vor? – Und unten, mein Schätzchen, machen wir einfach einen Saum, damit er deine Fesseln sieht. Die Fesseln sind wichtig.

MIRANDA. O Gott!

CELESTINA. Aber zuerst laß uns den Schleier stecken.

MIRANDA. O Gott!

CELESTINA. Warum seufzest du?

MIRANDA. Warum ist alles, was wir tun, nur Schein!

CELESTINA. Tja. *Sie hebt den Rock.*

Und jetzt der Saum.

MIRANDA. Nicht so!

CELESTINA. Du meinst, ich bücke mich?

MIRANDA. Celestina –

CELESTINA. Mit sieben Stichen ist's geschehn. *Miranda dreht sich langsam wie ein Kreisel, während Celestina steht und den Saum an dem erhobenen Rock steckt.* Umarmen wird er dich, das meinst du wohl? Weil er dich für Donna Anna hält, seine Braut. Küssen und umarmen! Ich werde ja lachen, Schätzchen, wenn du dein blaues Wunder erlebst. Aber bitte! Es wird dir die Flausen schon austreiben, und drum nämlich helfe ich dir. Donna Anna? wird er sagen, wenn er dich sieht, und ein mißliches Gewissen haben, das ist alles, viel Ausreden und einen Schwall von Lügen und keine Zeit für Umarmung, von Lust ganz zu schweigen. Du überschätzest die Ehemänner, Schätzchen, du kennst sie bloß, wie sie bei uns sind. *Der Saum ist fertig.* So –

MIRANDA. Danke.

CELESTINA. Wie fühlt sich die Braut? *Es klingelt.* Schon wieder ein Kunde!

MIRANDA. Laß mir den Spiegel!

Auftritt ein spanischer Edelmann.

CELESTINA. Sie wünschen?

LOPEZ. Ich weiß nicht, ob ich richtig bin.

CELESTINA. Ich denke schon.

LOPEZ. Mein Name ist Lopez.

CELESTINA. Wie dem auch sei.

LOPEZ. Ich komme aus Toledo.

CELESTINA. Müd von der Reise, ich verstehe, Sie wünschen ein Lager –

LOPEZ. Don Balthazar Lopez.

CELESTINA. Wir verlangen keine Personalien, hier genügt's, mein Herr, wenn Sie im voraus bezahlen.

Lopez sieht sich um.

CELESTINA. Sie sind richtig, treten Sie ein.

Lopez mustert Miranda.

CELESTINA. Dieses Mädchen hat Ausgang.

Miranda allein mit dem Spiegel.

MIRANDA. Gott steh mir bei! Mehr will ich nicht: einmal erkannt sein als Braut, und wär's auch nur zum Schein, einmal soll er zu meinen Füßen knien und schwören, daß es dieses Gesicht ist, Donna Anna, nur dieses Gesicht, das er liebt – mein Gesicht . . .

Dritter Akt

Vor dem Schloß
Im Morgengrauen sitzt Don Juan auf der Treppe; in
der Ferne noch immer das Gebell der Hunde; er ver-
zehrt ein Rebhuhn; Don Roderigo erscheint.

DON RODERIGO. Juan? Juan! – ich bin's, Don Roderigo,
   dein Freund seit je. *Don Juan ißt und schweigt.*
   Juan?
DON JUAN. Was ist los, Roderigo, Freund seit je, daß
   du nicht einmal guten Morgen sagst?
DON RODERIGO. Hörst du's nicht?
DON JUAN. Gebell? Ich habe es die ganze Nacht gehört,
   mein Guter, von Kammer zu Kammer. Einmal fer-
   ner, einmal näher. Sie haben eine Ausdauer, die mich
   rührt.
DON RODERIGO. Ich suche dich die ganze Nacht. *Don
   Juan ißt und schweigt.* Um dich zu warnen. *Don
   Juan ißt und schweigt.* Was machst du hier, Juan,
   mitten auf der Treppe?
DON JUAN. Ich frühstücke.
DON RODERIGO. Juan, hör zu –
DON JUAN. Bist du bei deiner Braut gewesen?
DON RODERIGO. Nein.
DON JUAN. Das ist ein Fehler, Don Roderigo, Freund
   seit je, ein kühner Fehler. Du solltest dein Mädchen
   nie allein lassen. Plötzlich springt ein Unbekannter
   in ihre Kammer, von Hunden gehetzt, und sie ent-
   deckt, daß auch du nicht der einzige Mann bist.
DON RODERIGO. Was willst du damit sagen?

DON JUAN. Die Wahrheit. *Er ißt.* Du hast eine süße Braut ...

DON RODERIGO. Juan, du hinkst ja?

DON JUAN. Wie der Satan persönlich, ich weiß. Das kommt davon, wenn man aus dem Fenster springt. *Er ißt.* Es gibt keinen andern Ausweg zu dir selbst. *Er ißt.* Das Weib ist unersättlich ...

DON RODERIGO. Juan, ich muß dich warnen.

DON JUAN. Ich muß dich ebenfalls warnen.

DON RODERIGO. Ich spreche im Ernst, mein Freund. Etwas Schreckliches wird geschehen, wenn du nicht vernünftig bist, etwas Grauenvolles, was du dein Leben lang bereuen könntest. Plötzlich hört es auf, ein Spaß zu sein, und alles wird blutig. Und unwiderrufbar. Ich bin die ganze Nacht durch den Park geschlichen, Juan, ich habe gezittert für dich – *Don Juan ißt und schweigt.*

DON RODERIGO. Ich habe meinen Augen nicht getraut, wie ich sie plötzlich vor mir sehe da draußen am Teich: wie ein Gespenst des Tods!

DON Juan. Wen?

DON RODERIGO. Deine Braut.

DON JUAN. – Anna?

DON RODERIGO. Sie wartet auf dich, Juan, die ganze Nacht. Sie ist von Sinnen, scheint es. Stundenlang sitzt sie reglos wie eine Statue, stundenlang, dann flattert sie wieder am Ufer entlang. Ich habe sie gesprochen. Er ist draußen auf der kleinen Insel, sagt sie, und es ist dem Mädchen nicht auszureden. Kaum ist man weg, ruft sie deinen Namen. Immer wieder ... Du mußt sprechen mit ihr.

DON JUAN. Ich wüßte nicht, was ich sprechen sollte, Roderigo. Ich bin jetzt nicht in der Verfassung,

Gefühle zu haben, und daß ich sie verlassen habe, weiß sie. Was weiter? Das einzige, was ich jetzt habe, ist Hunger.

DON RODERIGO. Still!

Auftritt Don Gonzalo mit gezückter Klinge.

DON GONZALO. Halt! Wer da?

DON JUAN. Der kann ja kaum noch auf den Beinen stehen. Sag ihm doch, er soll es aufgeben.

DON GONZALO. Wer da?

DON JUAN. Er sucht einfach seinen Tod und sein Denkmal, du wirst sehen, vorher ist er nicht zufrieden.

Auftreten die drei Vettern, blutig, zerfetzt, erschöpft.

DON GONZALO. Halt! Wer da?

EIN VETTER. Der Himmel zerschmettere den Frevler.

DON GONZALO. Ihr habt ihn?

EIN VETTER. Wir sind am Ende, Onkel Gonzalo, zerfetzt haben sie uns, die verfluchten Hunde.

EIN VETTER. Du hast sie gepeitscht, Idiot.

EIN VETTER. Idiot, wenn sie mich anfallen.

DON GONZALO. Wo sind die Hunde?

EIN VETTER. Ich habe sie nicht geschlachtet, Onkel.

DON GONZALO. Geschlachtet?

EIN VETTER. Wir mußten.

DON GONZALO. Geschlachtet? sagt ihr.

EIN VETTER. Wir mußten: sie oder wir.

DON GONZALO. Meine Hunde?

EIN VETTER. Wir können nicht mehr, Onkel Gonzalo, der Himmel sorge selbst für seine Rache, wir sind am Ende.

DON GONZALO. Meine Hunde ...

EIN VETTER. Wir müssen ihn verbinden.

Die drei Vettern schleppen sich davon.

DON GONZALO. Ich werde nicht rasten noch ruhen, bis

auch die Hunde gerächt sind. Sagt meiner Gemahlin, wenn sie erwacht: ich werde nicht rasten noch ruhen.

Don Gonzalo geht nach der andern Seite.

DON JUAN. Hast du's gehört? Der Himmel zerschmettere den Frevler. Ein rührendes Losungswort. Ich bedaure jeden Hund, der sich dafür schlachten läßt.

DON RODERIGO. Laß uns nicht spotten, Freund.

DON JUAN. Ich spotte nicht über den Himmel, Freund, ich finde ihn schön. Besonders um diese Stunde. Man sieht ihn selten um diese Stunde.

DON RODERIGO. Denk jetzt an deine Braut!

DON JUAN. An welche?

DON RODERIGO. Die draußen um den Teich irrt und deinen Namen ruft – Juan, du hast sie geliebt, ich weiß es.

DON JUAN. Ich weiß es auch. *Er wirft den Knochen fort.* Das war ein unvergeßliches Rebhuhn! *Er wischt sich die Finger.* Ich habe sie geliebt. Ich erinnere mich. Im Frühjahr, wie ich Donna Anna zum ersten Mal sah, hier bin ich auf die Knie gesunken, hier auf dieser Treppe. Stumm. Wie vom Blitz getroffen. So sagt man doch? Ich werde das nie vergessen: wie sie Fuß vor Fuß auf diese Stufen sinken ließ, Wind im Gewand, und dann, da ich kniete, blieb sie stehen, stumm auch sie. Ich sah ihren jungen Mund, unter dem schwarzen Schleier sah ich den Glanz zweier Augen, blau. Es war Morgen wie jetzt, Roderigo, es war, als flösse die Sonne durch meine Adern. Ich hatte nicht den Atem, um sie anzusprechen, es würgte mich im Hals, ein Lachen, das nicht zu lachen war, weil es geweint hätte. Das war die Liebe, ich glaube, das war sie. Zum ersten und zum letzten Mal.

DON RODERIGO. Wieso zum letzten Mal?

DON JUAN. Es gibt keine Wiederkehr ... Wenn sie jetzt, in diesem Augenblick, noch einmal über diese Stufen käme, Wind im Gewand, und unter dem Schleier sähe ich den Glanz ihrer Augen, weißt du, was ich empfinden würde? Nichts. Bestenfalls nichts. Erinnerung. Asche. Ich will sie nie wiedersehen. *Er reicht seine Hand.* Lebwohl, Roderigo!

DON RODERIGO. Wohin?

DON JUAN. Zur Geometrie.

DON RODERIGO. Juan, das ist nicht dein Ernst.

DON JUAN. Der einzige, der mir verblieben ist nach dieser Nacht. Bedaure mich nicht! Ich bin ein Mann geworden, das ist alles. Ich bin gesund, du siehst es, vom Scheitel bis zur Sohle. Und nüchtern vor Glück, daß es vorbei ist wie ein dumpfes Gewitter. Ich reite jetzt in den Morgen hinaus, die klare Luft wird mir schmecken. Was brauche ich sonst? Und wenn ich an einen rauschenden Bach komme, werde ich baden, lachend vor Kälte, und meine Hochzeit ist erledigt. Ich fühle mich frei wie noch nie, Roderigo, leer und wach und voll Bedürfnis nach männlicher Geometrie.

DON RODERIGO. Geometrie! ...

DON JUAN. Hast du es nie erlebt, das nüchterne Staunen vor einem Wissen, das stimmt? Zum Beispiel: was ein Kreis ist, das Lautere eines geometrischen Orts. Ich sehne mich nach dem Lauteren, Freund, nach dem Nüchternen, nach dem Genauen; mir graust vor dem Sumpf unsrer Stimmungen. Vor einem Kreis oder einem Dreieck habe ich mich noch nie geschämt, nie geekelt. Weißt du, was ein Dreieck ist? Unentrinnbar wie ein Schicksal: es gibt nur eine einzige Figur aus den drei Teilen, die du hast, und die Hoffnung, das Scheinbare unabsehbarer Möglichkeiten, was

unser Herz so oft verwirrt, zerfällt wie ein Wahn
vor diesen drei Strichen. So und nicht anders! sagt
die Geometrie. So und nicht irgendwie! Da hilft kein
Schwindel und keine Stimmung, es gibt eine einzige
Figur, die sich mit ihrem Namen deckt. Ist das nicht
schön? Ich bekenne es, Roderigo ich habe noch nichts
Größeres erlebt als dieses Spiel, dem Mond und
Sonne gehorchen. Was ist feierlicher als zwei Striche
im Sand, zwei Parallelen? Schau an den fernsten
Horizont, und es ist nichts an Unendlichkeit; schau
auf das weite Meer, es ist Weite, nun ja, und schau in
die Milchstraße empor, es ist Raum, daß dir der
Verstand verdampft, unausdenkbar, aber es ist nicht
das Unendliche, das sie allein dir zeigen: zwei Striche
im Sand, gelesen mit Geist . . . Ach Roderigo, ich bin
voll Liebe, voll Ehrfurcht, nur darum spotte ich.
Jenseits des Weihrauchs, dort wo es klar wird und
heiter und durchsichtig, beginnen die Offenbarungen;
dort gibt es keine Launen, Roderigo, wie in der
menschlichen Liebe; was heute gilt, das gilt auch
morgen, und wenn ich nicht mehr atme, es gilt ohne
mich, ohne euch. Nur der Nüchterne ahnt das Hei-
lige, alles andere ist Geflunker, glaub mir, nicht wert,
daß wir uns aufhalten darin. *Er reicht nochmals die
Hand.* Lebwohl!

DON RODERIGO. Und das Mädchen am Teich?

DON JUAN. Ein andrer wird sie trösten.

DON RODERIGO. Glaubst du das wirklich?

DON JUAN. Mann und Weib – warum wollt ihr immer
glauben, was euch gefällt, und im Grunde glaubt
man ja bloß, man könne die Wahrheit ändern, indem man nicht darüber lacht. Roderigo, mein Freund
seit je, ich lache über dich! Ich bin dein Freund;

woher aber weißt du, daß es mich nicht einmal jucken könnte, unsere Freundschaft aufs Spiel zu setzen? Ich ertrage keine Freunde, die meiner sicher sind. Woher denn weißt du, daß ich nicht von deiner Inez komme?

DON RODERIGO. Laß diesen Scherz!

DON JUAN. Woher weißt du, daß es ein Scherz ist?

DON RODERIGO. Ich kenne meine Inez.

DON JUAN. Ich auch.

DON RODERIGO. Woher?

DON JUAN. Ich sag es ja: Ich war bei ihr.

DON RODERIGO. Das ist nicht wahr!

DON JUAN. Ich bin wißbegierig, mein Freund, von Natur. Ich fragte mich, ob ich dazu imstande bin. Inez ist deine Braut, und du liebst sie, und sie liebt dich. Ich fragte mich, ob auch sie dazu imstande ist. Und ob du es glauben wirst, wenn ich es dir sage.

DON RODERIGO. Juan –!

DON JUAN. Glaubst du's oder glaubst du's nicht? *Pause.* Glaub es nicht!

DON RODERIGO. Du bist teuflisch.

DON JUAN. Ich liebe dich. *Er tritt zu Don Roderigo und küßt ihn auf die Stirne.* Glaub es nie!

DON RODERIGO. Wenn es wahr wäre, Juan, ich würde mich umbringen auf der Stelle, nicht dich, nicht sie, aber mich.

DON JUAN. Es wäre schade um dich. *Er nimmt seine Weste, die auf der Treppe liegt, und zieht sie an.* Ich weiß jetzt, warum mich die Zisterne mit meinem Wasserbild erschreckt hat, dieser Spiegel voll lieblicher Himmelsbläue ohne Grund. Sei nicht wißbegierig, Roderigo, wie ich! Wenn wir die Lüge einmal verlassen, die wie eine blanke Oberfläche glänzt, und diese Welt nicht bloß als Spiegel unsres Wunsches sehen, wenn wir es wissen wollen, wer wir sind, ach Roderigo, dann hört unser Sturz nicht mehr auf, und es saust dir in den Ohren, daß du nicht mehr weißt, wo Gott wohnt. Stürze dich nie in deine Seele, Roderigo, oder in irgendeine, sondern bleibe an der blauen Spiegelfläche wie die tanzenden Mücken über dem Wasser – auf daß du lange lebest im Lande, Amen. *Er hat seine Weste angezogen.* In diesem Sinn: Lebwohl! *Er umarmt Don Roderigo.* Einen Freund zu haben, einen Roderigo, der für mich zitterte in dieser Nacht, es war schön; ich werde fortan für mich selbst zittern müssen.

DON RODERIGO. Juan, was ist geschehen mit dir?
Don Juan lacht.

DON RODERIGO. Etwas ist geschehen mit dir.

DON JUAN. Ich habe ausgeliebt. *Er will gehen, aber Don Roderigo hält ihn.* Es war eine kurze Jugend. *Er macht sich los.* Laß mich.
Don Juan geht, aber in diesem Augenblick erkennt er die Gestalt der Donna Anna, die oben auf der Treppe erschienen ist in Brautkleid und Schleier.

DON JUAN. Wozu das? *Die Gestalt kommt langsam die Stufen herab . . .* Donna Anna . . . *Die Gestalt bleibt auf der drittletzten Stufe stehen.* Ich habe dich verlassen. Was ganz Sevilla weiß, weißt du es nicht? Ich habe dich verlassen!
Die Gestalt lächelt und schweigt.

DON JUAN. Ich erinnere mich. O ja! Ich sehe deinen jungen Mund, wie er lächelt. Wie damals. Und unter dem Schleier sehe ich den Glanz deiner Augen. Alles wie damals. Nur ich bin es nicht mehr, der damals vor dir kniete hier auf dieser Treppe, und es gibt kein Zurück.

DIE GESTALT. Mein lieber Juan –

DON JUAN. Du hättest nicht kommen dürfen, Anna, nicht über diese Stufen. Dein Anblick erfüllt mich mit einer Erwartung, die es nimmermehr gibt. Ich weiß jetzt, daß die Liebe nicht ist, wie ich sie auf diesen Stufen erwartet habe. *Pause.* Geh! *Pause.* Geh! *Pause.* Geh! sage ich. Geh! im Namen des Himmels und der Hölle. Geh!

DIE GESTALT. Warum gehst denn du nicht?

Don Juan steht gebannt und schaut sie an.

DIE GESTALT. Mein lieber Juan –

DON JUAN. Dein lieber Juan! *Er lacht.* Weißt du denn, wo er gewesen ist in dieser Nacht, dein lieber Juan? Bei deiner Mutter ist er gewesen, dein lieber Juan! Sie könnte dich etliches lehren, aber auch sie hat er verlassen, dein lieber Juan, der so voll Liebe ist, daß er aus dem Fenster sprang, um in das nächste zu fliehen. Bei deiner Mutter, hörst du? Mit Hunden haben sie ihn gehetzt, als wäre er nicht gehetzt genug, und ich weiß nicht einmal, wie sie heißt, die dritte im Verlauf seiner Hochzeit, ein junges Weib, nichts weiter, Weib wie hundert Weiber in der Finsternis. Wie machte es ihm Spaß, deinem lieben Juan, dich zu vergessen in dieser Finsternis ohne Namen und Gesicht, zu töten und zu begraben, was sich als kindisch erwiesen hat, und weiterzugehen. Was willst du von ihm, der bloß noch lachen kann? Und dann, wie alles so öde war und ohne Reiz – es war nicht Hoffnung, was ihn in die letzte Kammer lockte, deinen lieben Juan, und nicht ihr helleres Haar und die andere Art ihres Kusses, auch nicht die Lust an ihrem mädchenhaften Widerstand; sie wehrte sich so wild und bis zur Verzückung, schwächer zu sein als dein lieber Juan. Draußen kläfften die Hunde. O ja, die Unterschiede sind zauberisch, doch währt ihr Zauber nicht lang, und in unseren Armen sind alle so ähnlich, bald zum Erschrecken gleich. Etwas aber hatte sie, die letzte dieser wirren Nacht, was keine hat und jemals wieder haben wird, etwas Einziges, das ihn reizte, etwas Besonderes, etwas Unwiderstehliches: – sie war die Braut seines einzigen Freundes.

DON RODERIGO. Nein!

DON JUAN. Sie hat dich nicht vergessen, Roderigo, nicht einen Augenblick, im Gegenteil, dein Name brannte auf unsrer Stirne, und wir genossen die Süße der Niedertracht, bis die Hähne krähten.

DON RODERIGO. Nein!

DON JUAN. Aber das ist die lautere Wahrheit.

Don Roderigo stürzt davon.

DON JUAN. So, Donna Anna, habe ich diese Nacht verbracht, da du am Teich auf mich gewartet hast, und so knie ich vor dir. *Er kniet nieder.* Zum letzten Mal, ich weiß es. Du bist noch einmal erschienen, um mir das Letzte zu nehmen, was mir verblieben ist: mein Gelächter ohne Reue. Warum habe ich dich umarmt und nicht erkannt? Und lassen wirst du mir das Bild dieser Stunde, das Bild der Verratenen, die nicht aufhören wird dazustehen in der Morgensonne, wohin ich auch gehe fortan.

DIE GESTALT. Mein Juan!

DON JUAN. Wie solltest du noch einmal glauben können, daß ich dich liebe? Ich dachte, die Erwartung wird nie wiederkehren. Wie soll ich selbst es glauben können?

DIE GESTALT. Erheb dich!

DON JUAN. Anna.

DIE GESTALT. Erheb dich.

DON JUAN. Ich knie nicht um Vergebung. Nur ein Wunder, nicht die Vergebung kann mich retten aus der Erfahrung, die ich gemacht habe –

DIE GESTALT. Erheb dich!

DON JUAN *erhebt sich.* Wir haben einander verloren, um einander zu finden für immer. Ja! Für immer. *Er umarmt sie.* Mein Weib!

DIE GESTALT. Mein Mann!

Don Gonzalo erscheint mit seiner gezückten Klinge.

DON GONZALO. Ah! da ist er.

DON JUAN. Ja, Vater.

DON GONZALO. Fechten Sie!

DON JUAN. Sie kommen zu spät, Vater, wir haben uns wieder vermählt.

DON GONZALO. Fechten Sie!

DON JUAN. Wozu?

DON GONZALO. Mörder!

DON JUAN. Er kann es nicht fassen, dein Vater, er sieht es mit eignen Augen, unser Glück, aber er kann es nicht fassen!

DON GONZALO. Glück – Glück, sagt er, Glück –

DON JUAN. Ja, Vater, lassen Sie uns allein.

DON GONZALO. – und du, Hure, du läßt dich noch einmal beschwatzen von diesem Verbrecher, wenn ich ihn nicht auf der Stelle ersteche. *Er bedroht Don Juan, so daß Don Juan ziehen muß.* Nieder mit ihm!

DON JUAN. Halt!

DON GONZALO. Fechten Sie!

DON JUAN. Wieso Mörder? Schließlich sind es Doggen, ganz abgesehen davon, daß nicht ich sie getötet habe –

DON GONZALO. Und Don Roderigo?

DON JUAN. Wo ist er?

DON GONZALO. In seinem Blute röchelnd hat er Sie verflucht als Schänder seiner Braut.

DON JUAN. – Roderigo?

Don Juan ist von der Nachricht betroffen und starrt vor sich hin, während die fuchtelnde Klinge des Komturs ihn belästigt wie ein Insekt, das er ärgerlich abwehrt.

Halt! sage ich.

Don Gonzalo fällt durch einen blitzschnellen Stich, bevor es zu einer Fechterei gekommen ist, und stirbt, während Don Juan, die Klinge einsteckend, vor sich hinstarrt wie zuvor.

DON JUAN. Sein Tod erschüttert mich – ich meine Roderigo. Was hatte ich ihn der Wahrheit auszuliefern? Er hat mich nie verstanden, mein Freund seit je, ich mochte ihn von Herzen gern. Ich habe ihn gewarnt: ich ertrage keine Freunde, die meiner sicher sind. Warum habe ich nicht geschwiegen? Noch eben stand er hier . . .

DIE GESTALT. Tod, Tod!

DON JUAN. Schrei nicht.

DIE GESTALT. O Juan!

DON JUAN. Laß uns fliehen!

Pater Diego erscheint im Hintergrund, die ertrunkene Donna Anna auf den Armen, aber Don Juan sieht ihn noch nicht.

Laß uns fliehen! Wie wir es geschworen haben am nächtlichen Teich, ach, so kindlich geschworen, als läge es in unsrer Macht, daß wir uns nicht verirren und verlieren. Was zögerst du? Ich halte deine Hand wie ein Leben, das uns noch einmal geschenkt ist, wirklicher als das erste, das kindliche, voller um unser Wissen, wie leicht es vertan ist. Du zitterst? Schau mich an: dankbar wie ein Begnadigter fühle ich die Sonne dieses Morgens und alles, was lebt – *Er erblickt den Pater mit der Leiche.* Was bedeutet das, Pater Diego? *Schweigen.* Antwortet! *Schweigen.* Welche ist meine Braut? *Er schreit:* Antwortet!

PATER DIEGO. Sie wird nicht mehr antworten, Don Juan, und wenn du noch so schreist. Nie wieder. Sie hat sich ertränkt. Das ist das Ende deiner Hochzeit, Don Juan, das ist die Ernte deines Übermuts.

DON JUAN. Nein –

Pater Diego legt die Leiche auf die Erde.

DON JUAN. Das ist nicht meine Braut. Das ist nicht wahr. Ich habe mich dem Leben vermählt, nicht einer Wasserleiche mit baumelnden Armen und Haaren von Tang. Was soll dieser Spuk am hellichten Tag? Ich sage: das ist nicht meine Braut.

PATER DIEGO. Wer denn ist deine Braut?

DON JUAN. Jene! – die andere.

PATER DIEGO. Und warum will sie fliehen?

Die Gestalt versucht treppauf zu entfliehen, aber in diesem Augenblick sind die drei Vettern erschienen.

DON JUAN. Meine Herrn, ich begrüße euer Erscheinen. Mein Freund ist tot –

EIN VETTER. Tot.

DON JUAN. Und diese da?

PATER DIEGO. Tot.

DON JUAN. Und dieser auch. Wer wird es glauben, daß er mir in die Klinge lief wie ein Huhn? Er wird als Denkmal auferstehen.

EIN VETTER. Der Himmel zerschmettere den Frevler!

DON JUAN. Und was ist mit meinem Vater?

EIN VETTER. Tot.

DON JUAN. Ist das wahr?

DIE VETTERN. Tot.

DON JUAN. Ich bekenne, Pater Diego, ich komme mir
wie ein Erdbeben vor oder wie ein Blitz. *Er lacht.*
Was euch betrifft, ihr meine Vettern, steckt endlich
eure Klingen ein, damit ihr überlebt und Zeugen
meiner Hochzeit seid. Hier: zwei Bräute, und ich
soll wählen, eine Lebende, eine Tote, und Pater
Diego sagt, daß ich der Leiche vermählt sei. Ich aber
sage: sie – *Er tritt zur verschleierten Gestalt und
faßt ihre Hand:* – sie und keine andere ist meine
Braut, sie, die Lebendige, sie, die nicht in den Tod
gegangen ist, um mich zu verdammen bis ans Ende
meiner Tage, sie, die noch einmal erschienen ist vor
dem Verirrten, damit ich sie erkenne, und ich habe
sie erkannt.

DIE GESTALT. O Juan!

DON JUAN. Nimm deinen Schleier ab!

Die Gestalt nimmt ihren Schleier ab.

PATER DIEGO. Miranda!?

*Don Juan deckt sein Gesicht mit beiden Händen, bis
er allein ist, bis die Toten weggetragen sind, bis das
Geläute, das den Trauerzug begleitet, verstummt ist.*

DON JUAN. Begrabt das arme Kind, aber wartet nicht
darauf, daß ich mich bekreuzige, und hofft nicht,
daß ich weine. Und tretet mir nicht in den Weg.
Jetzt fürchte ich nichts mehr. Wir wollen sehen, wer
von uns beiden, der Himmel oder ich, den andern
zum Gespött macht!

Pause

Vierter Akt

Ein Saal
Don Juan, jetzt ein Mann von dreiunddreißig Jahren,
steht vor einer festlichen Tafel mit Silber und Kerzen,
die er mustert. Sein Diener, Leporello, stellt Karaffen
auf den Tisch. Drei Musikanten warten auf Instruk-
tionen. Im Hintergrund ein großer Vorhang.

DON JUAN. Ihr bleibt in dieser Kammer nebenan. Begriffen? Und was das Halleluja betrifft: wenn sich
irgend etwas ereignen sollte, ein Unfall oder so
– zum Beispiel könnte es ja sein, daß mich die Hölle
verschlingt –

MUSIKANT. Herr!

DON JUAN. – einfach weiterspielen. Begriffen? Das Halleluja wird wiederholt, bis niemand mehr in diesem
Saal ist. *Er strupft seine weißen Handschuhe von*
den Fingern, indem er abermals die Tafel mustert.
So macht euch bereit!

MUSIKANT. Und unser Honorar?

DON JUAN. Davon später!

MUSIKANT. Wenn niemand mehr im Saal ist –?

DON JUAN. Meine Herrn: ich erwarte dreizehn Damen,
die behaupten, daß ich sie verführt habe, und damit
nicht genug, ich erwarte den Bischof von Cordoba,
der auf Seiten der Damen ist, wie jedermann weiß,
ich erwarte ein Denkmal, das ich ebenfalls eingela-
den habe, einen Gast aus Stein – meine Herrn: ich
habe jetzt nicht die Nerven für euer Honorar, nicht
die Nerven ...

Die Musikanten verziehen sich.

DON JUAN. Es sieht nicht übel aus.

LEPORELLO. Der Wein, Herr, wird nicht lang reichen, ein Gläslein für jeden Gast –

DON JUAN. Das reicht. Die Lust zu trinken, so hoffe ich, wird ihnen bald vergehen, spätestens wenn der steinerne Gast kommt.

LEPORELLO. – Herr ...

DON JUAN. Wir sind bankrott. *Es klingelt draußen.* Wo sind die Tischkarten?

LEPORELLO. – Herr ... Sie glauben's aber nicht im Ernst, daß er wirklich kommt, der mit dem steinernen Sockel?

DON JUAN. Glaubst du es denn im Ernst?

LEPORELLO. Ich! *Er versucht ein schallendes Hohnlachen, das ihm im Augenblick, da es zum zweiten Mal klingelt, wie eine Larve vom entsetzten Gesicht fällt.* – vielleicht ist er das! ...
Don Juan legt Tischkarten.

LEPORELLO. – Herr ...

DON JUAN. Wenn es wieder diese verschleierte Dame ist, sage ihr, ich empfange grundsätzlich keine verschleierten Damen mehr. Wir kennen das. Sie möchten immer meine Seele retten und hoffen, daß ich sie aus Widerspruch verführe. Sage der Dame, wir kennen dieses Verfahren und sind es müde. *Es klingelt zum dritten Mal.* Warum gehst du nicht ans Tor? *Leporello geht ängstlich. Die Musikanten nebenan probieren jetzt ihre Instrumente, was ein wirres Geflatter von Tönen ergibt, während Don Juan sorgsam die Tischkarten legt; er kommt zur letzten Karte und hält inne.*

DON JUAN. Du, lebendiger als alle, die leben, du

kommst nicht, du, die einzige, die ich geliebt habe, die Erste und die Letzte, geliebt und nicht erkannt – *Er verbrennt die Karte über einer Kerze. Asche. Leporello kommt zurück.*

LEPORELLO. Der Bischof von Cordoba!

DON JUAN. Blase diese Asche von der Tafel und sage dem Bischof von Cordoba, er möge einen Augenblick warten. Aber sag es höflich! Der Bischof ist zwar kein Gläubiger, ich meine, ich schulde ihm nichts; aber ich brauche ihn sehr. Ohne Kirche keine Hölle.

LEPORELLO. – Herr ...

DON JUAN. Warum zitterst du immerfort?

LEPORELLO. Genug ist genug, Herr, man soll's nicht auf die Spitze treiben, ein Grabmal einzuladen zum Essen, einen Toten, der lang schon verwest und vermodert ist, alles was recht ist, Herr, ich war ein Spitzbube, wo immer es sich lohnte, und für eine gewisse Beute tu ich alles, Herr, ich bin kein Feigling, Herr, aber was Sie gestern auf dem Friedhof verlangt haben, Herr, das ist Spitzbüberei aus purer Gesinnung, Herr, ein Grabmal einzuladen zum Essen –

STIMME. Don Juan?

LEPORELLO. Maria und Joseph!

STIMME. Don Juan?

DON JUAN. Augenblick.

LEPORELLO. Er kommt.

DON JUAN. Augenblick, sag ich, Augenblick.

LEPORELLO. Erbarmen! Ich bin unschuldig, ich mußte, ich habe Familie, Herrgott im Himmel, fünf Kinder und ein Weib. *Er wirft sich auf die Knie.* Erbarmen!

DON JUAN. Wenn du beten möchtest, geh hinaus.

LEPORELLO. Es hat gerufen, ich hab's gehört.

DON JUAN. Steh auf!

Leporello erhebt sich.

DON JUAN. Tu jetzt, was ich dich heiße: Sag dem Bischof von Cordoba, ich lasse bitten. Aber sag es mit vielen Worten und Floskeln; ich brauche noch drei Minuten hier.

LEPORELLO. Maria und Joseph –

DON JUAN. Und vergiß nicht den Kniefall, wo er hingehört.

Leporello geht.

DON JUAN. Was ist denn los da hinten? *Er tritt zum großen Vorhang im Hintergrund, und hervor tritt Celestina, als Denkmal verkleidet, nur ihr Kopf ist noch unverhüllt.* Warum ziehen Sie den Plunder nicht an?

CELESTINA. Dieser Helm ist mir zu knapp.

DON JUAN. Das merkt kein Mensch.

CELESTINA. Außer mir.

Don Juan winkt, daß sie verschwinden soll.

CELESTINA. Ich hab's mir noch einmal überlegt: –

DON JUAN. Was?

CELESTINA. Sie können mir sagen, was Sie wollen, es ist halt eine Gotteslästerung, und das mach ich nicht für fünfhundert, mein Herr, ich nicht.

DON JUAN. Celestina –?

CELESTINA. Tausend ist das mindeste, was ich dafür haben muß. Nämlich wenn ich Sie an die Herzogin von Ronda verkaufe, dann bekomm ich auch meine tausend Pesos und blank auf den Tisch.

DON JUAN. Das nenne ich Erpressung.

CELESTINA. Nennen Sie's, wie Sie wollen, Don Juan es geht mir nicht um die Benennung, sondern ums Geld, und fünfhundert ist mir zu wenig.

DON JUAN. Ich habe nicht mehr.

CELESTINA. Dann mach ich's nicht.

Don Juan reißt sich etwas vom Hals.

CELESTINA. Ein Amulett?

DON JUAN. Das letzte, was ich habe. Verschwinden Sie! Wenn jetzt die Höllenfahrt nicht gelingt, bin ich verloren.

CELESTINA. Es ist nicht meine Schuld, Don Juan, daß Sie bankrott sind. Warum wollen Sie nichts wissen von meinem Angebot? Sie wären reicher als der Bischof von Cordoba. Ich sag es Ihnen: ein Schloß mit vierundvierzig Zimmern –

DON JUAN. Kein Wort mehr davon!

CELESTINA. Noch ist es Zeit.

DON JUAN. Verschonen Sie mich endlich mit dieser Kuppelei! Ganz Spanien weiß es, und ich sage es zum letzten Mal: Ich heirate nicht!

CELESTINA. Das hat schon manch einer gesagt.

DON JUAN. Still!

Celestina verschwindet hinter dem Vorhang, Don Juan wartet, aber eintritt bloß Leporello.

DON JUAN. Was ist los?

LEPORELLO. Herr – ich hab's vergessen, Herr, was ich ihm sagen soll. Der ist so feierlich, Herr, und geht in der Halle auf und ab, als könnt er's nicht erwarten, bis der Himmel uns zerschmettert.

DON JUAN. Sag ihm, ich lasse bitten.

Leporello geht und läßt jetzt beide Türflügel offen. Don Juan bereitet den Empfang des Bischofs vor: er rückt einen Sessel zurecht, probiert, wo und wie er seinen Kniefall machen will, dann gibt er den Musikanten einen Wink. Man hört jetzt eine feierliche Musik. Don Juan steht vor einem Spiegel, seine

Krause ordnend, als durch die offene Türe langsam eine verschleierte Dame eintritt. Pause. Don Juan entdeckt sie im Spiegel und zuckt zusammen, ohne sich umzudrehen.

DIE DAME. Warum erschrickst du?

DON JUAN. Da ich das einzig Wissenswerte weiß: Du bist nicht Donna Anna, denn Donna Anna ist tot – wozu dieser Schleier? *Er dreht sich um.* Wer sind Sie?

DIE DAME. Du hast mir den Empfang verweigert. Plötzlich fand ich die Türen offen ...

DON JUAN. Womit kann ich dienen?

DIE DAME. Ich habe dich einmal geliebt, weil ein Schach dich unwiderstehlicher lockte als ein Weib. Und weil du an mir vorbei gegangen bist wie ein Mann, der ein Ziel hat. Hast du es noch? Es war die Geometrie. Lang ist es her! Ich sehe dein Leben: voll Weib, Juan, und ohne Geometrie.

DON JUAN. Wer bist du?!

DIE DAME. Ich bin jetzt die Herzogin von Ronda.

DON JUAN. Schwarz wie der Tod, Herzogin, sind Sie in meinen Spiegel getreten. Es hätte solcher Schwärze nicht bedurft, um mich zu erschrecken. Das Weib erinnert mich an Tod, je blühender es erscheint.

DIE DAME. Ich bin schwarz, weil ich Witwe bin.

DON JUAN. Durch mich?

DIE DAME. Nein.

DON JUAN. Worum handelt es sich, Herzogin von Ronda?

DIE DAME. Um deine Rettung.

DON JUAN. Sie sind die Dame, die mich heiraten will. Sie sind das Schloß mit den vierundvierzig Zimmern. Ihre Ausdauer ist erstaunlich, Herzogin von

Ronda. Im übrigen haben Sie recht: obschon mich ein Schach unwiderstehlicher lockt als ein Weib, ist mein Leben voll Weib. Und dennoch irren Sie sich! Noch hat das Weib mich nicht besiegt, Herzogin von Ronda, und eher fahre ich in die Hölle als in die Ehe –

DIE DAME. Ich komme nicht als Weib.

DON JUAN. Sie beschämen mich.

DIE DAME. Ich hatte Männer bis zum Überdruß, der überging in Lächeln, und ihrer einer, der ohne dieses Lächeln nicht glaubte leben zu können, machte mich zur Herzogin, worauf er starb.

DON JUAN. Ich verstehe.

DIE DAME. Nun habe ich dieses Schloß in Ronda –

DON JUAN. Es wurde mir geschildert.

DIE DAME. Ich dachte so: Du kannst im linken Flügel wohnen, ich wohne im rechten wie bisher. Und dazwischen ist ein großer Hof. Springbrunnenstille. Wir müssen einander überhaupt nicht begegnen, es sei denn, man habe ein Verlangen nach Gespräch. Und hinzu käme ein herzogliches Vermögen, groß genug, um nicht allein deine dummen Schulden zu tilgen, groß genug, daß die Gerichte dieser Welt, die dich des Mords verklagen, davor verstummen. Kurz und gut: kein Mensch, solange du in Ronda wohnst, vermag dich zu stören in deiner Geometrie.

DON JUAN. Aber?

DIE DAME. Kein Aber.

DON JUAN. Ihr Verständnis für den Mann, ich gebe es zu, ist außerordentlich, Herzogin von Ronda. Was aber ist der Preis für diese Rettung?

DIE DAME. Daß du sie annimmst, Juan.

DON JUAN. Nichts weiter?

DIE DAME. Mag sein, ich liebe dich noch immer, doch soll es dich nicht erschrecken; ich habe erfahren, daß ich dich nicht brauche, Juan, und das vor allem ist es, was ich dir biete; ich bin die Frau, die frei ist vom Wahn, ohne dich nicht leben zu können. *Pause.* Überlege es dir. *Pause.* Du hast immer bloß dich selbst geliebt und nie dich selbst gefunden. Drum hassest du uns. Du hast uns stets als Weib genommen, nie als Frau. Als Episode. Jede von uns. Aber die Episode hat dein ganzes Leben verschlungen. Warum glaubst du nicht an eine Frau, Juan, ein einziges Mal? Es ist der einzige Weg, Juan, zu deiner Geometrie.

Leporello führt den Bischof von Cordoba herein.

LEPORELLO. Seine Eminenz!

DON JUAN. Sie entschuldigen mich, Herzogin von Ronda, seine Eminenz und ich haben ein geschäftliches Gespräch, aber ich hoffe, Sie bald bei Tisch zu sehen: ohne Schleier.

DIE DAME. In Ronda, mein lieber Juan!

Die Dame rafft ihren Rock und macht einen tiefen Knicks vor dem Bischof, dann entfernt sie sich, gefolgt von Leporello, der die Türen schließt.

DON JUAN. Sie sehen, Eminenz, nicht einen Augenblick habe ich Ruhe. Alle wollen mich retten durch Heirat ... Eminenz! *Er kniet nieder.* Ich danke, daß Sie gekommen sind!

BISCHOF. Erheben Sie sich.

DON JUAN. Zwölf Jahre lang hat die spanische Kirche mich verfolgt – ich knie nicht aus Gewöhnung, weiß der Himmel, ich knie aus Dankbarkeit; wie habe ich mich gesehnt, Eminenz, mit einem Mann zu sprechen!

BISCHOF. Erheben Sie sich.

Don Juan erhebt sich.

BISCHOF. Worum handelt es sich?

DON JUAN. Wollen Eminenz sich nicht setzen?

Bischof setzt sich.

DON JUAN. Ich kann keine Damen mehr sehen noch hören, Eminenz. Ich verstehe die Schöpfung nicht. War es nötig, daß es zwei Geschlechter gibt? Ich habe darüber nachgedacht: über Mann und Weib, über die unheilbare Wunde des Geschlechts, über Gattung und Person, das vor allem, über den verlorenen Posten der Person –

BISCHOF. Kommen wir zur Sache.

Don Juan setzt sich.

BISCHOF. Worum handelt es sich?

DON JUAN. Kurz gesprochen: Um die Gründung einer Legende.

BISCHOF. – wie bitte?

DON JUAN. Um die Gründung einer Legende. *Er greift nach einer Karaffe.* Ich habe vergessen zu fragen, Eminenz: Trinken Sie etwas? *Der Bischof wehrt ab.* Wir haben wenig Zeit, bis die Damen erscheinen, und Sie gestatten, daß ich ohne Umschweife spreche.

BISCHOF. Ich bitte drum.

DON JUAN. Mein Vorschlag ist einfach und klar: Don Juan Tenorio, Ihr nachgerade volkstümlicher Erzfeind, der vor Ihnen sitzt im Glanz seiner besten Mannesjahre und im Begriff, unsterblich zu werden, ja, ich darf es wohl sagen: ein Mythos zu werden – Don Juan Tenorio, sage ich, ist entschlossen und bereit, tot zu sein mit dem heutigen Tag.

BISCHOF. Tot?

DON JUAN. Unter gewissen Bedingungen.

BISCHOF. Welcher Art?

DON JUAN. Wir sind unter uns, Eminenz. Also rundheraus: Sie, die spanische Kirche, geben mir eine bescheidene Rente, nichts weiter, eine Klause im Kloster, Männerkloster, nicht allzu winzig, wenn ich Wünsche äußern darf, und womöglich mit Aussicht auf die andalusischen Berge; allda lebe ich mit Brot und Wein, namenlos, vom Weib verschont, still und zufrieden mit meiner Geometrie.

BISCHOF. Hm.

DON JUAN. Und Ihnen, Bischof von Cordoba, liefere ich dafür, was die spanische Kirche dringender braucht als Geld: die Legende von der Höllenfahrt des Frevlers. *Pause.* Was sagen Sie dazu?

BISCHOF. Hm.

DON JUAN. Jetzt sind es zwölf Jahre schon, Eminenz, seit dieses Denkmal steht mit dem peinlichen Spruch: DER HIMMEL ZERSCHMETTERE DEN FREVLER, und ich, Don Juan Tenorio, spaziere dran vorbei, sooft ich in Sevilla bin, unzerschmettert wie irgendeiner in Sevilla. Wie lang, Eminenz, wie lang denn soll ich es noch treiben? Verführen, erstechen, lachen, weitergehen... *Er erhebt sich.* Es muß etwas geschehen, Bischof von Cordoba, es muß etwas geschehen!

BISCHOF. Es wird.

DON JUAN. Was mache ich für einen Eindruck auf unsre Jugend? Die Jugend nimmt mich zum Vorbild, ich sehe es kommen, ein ganzes Zeitalter sehe ich kommen, das in die Leere rennt wie ich, aber kühn nur, weil sie gesehen haben, es gibt kein Gericht, ein ganzes Geschlecht von Spöttern, die sich für meinesgleichen halten, eitel in einem Hohn, der billig wird, modisch, ordinär, dumm zum Verzweifeln – ich sehe das kommen!

BISCHOF. Hm.

DON JUAN. Sie nicht? *Der Bischof nimmt die Karaffe und füllt sich ein Glas.* Verstehen Sie mich richtig, Bischof von Cordoba, nicht bloß der Damen bin ich müde, ich meine es geistig, ich bin des Frevels müde. Zwölf Jahre eines unwiederholbaren Lebens: vertan in dieser kindischen Herausforderung der blauen Luft, die man Himmel nennt! Ich bin vor nichts zurückgeschreckt, aber Sie sehen ja selbst, Eminenz, meine Frevel haben mich bloß berühmt gemacht. *Der Bischof trinkt.* Ich bin verzweifelt. *Der Bischof trinkt.* Dreiunddreißigjährig teile ich das Geschick so vieler berühmter Männer: alle Welt kennt unsere Taten, fast niemand ihren Sinn. Mich schaudert's, wenn ich die Leute reden höre über mich. Als wäre es mir je um die Damen gegangen!

BISCHOF. Immerhin –

DON JUAN. Im Anfang, ich bekenne es, machte es Spaß. Meine Hände, so höre ich, sind wie Wünschelruten; sie finden, was der Gatte zehn Jahre lang nie gefunden hat an Quellen der Lust.

BISCHOF. Sie denken an den braven Lopez?

DON JUAN. Ich möchte hier keine Namen nennen, Eminenz.

BISCHOF. Don Balthazar Lopez.

DON JUAN. Auf alles war ich gefaßt, Eminenz, aber nicht auf Langeweile. Ihre verzückten Münder, ihre Augen dazu, ihre wässerigen Augen, von Wollust schmal, ich kann sie nicht mehr sehen! Gerade Sie, Bischof von Cordoba, sorgen für meinen Ruhm wie kein andrer, es ist ein Witz: die Damen, die von euren Predigten kommen, träumen ja von mir, und ihre Ehegatten ziehen die Klinge, bevor ich die

Dame auch nur bemerkt habe, so muß ich mich schlagen, wo ich stehe und gehe, Übung macht mich zum Meister, und noch bevor ich meine Klinge wieder einstecke, hangen die Witwen an meinem Hals, schluchzend, damit ich sie tröste. Was bleibt mir andres übrig, ich bitte Sie, als meinem Ruhm zu entsprechen, Opfer meines Ruhms zu sein – davon redet ja niemand in unserem höflichen Spanien: wie das Weib sich an mir vergeht! – oder aber: ich lasse die Witwe einfach liegen, drehe mich auf dem Absatz und gehe meines wirklichen Wegs, was alles andere als einfach ist, Eminenz, wir kennen die lebenslängliche Rachsucht des Weibes, das einmal vergeblich auf Verführung gehofft hat –

Es klopft an der Türe.

DON JUAN. Augenblick!

Es klopft an der Türe.

BISCHOF. Warum blicken Sie mich so an?

DON JUAN. Merkwürdig.

BISCHOF. Was ist merkwürdig?

DON JUAN. Zum ersten Mal sehe ich Sie aus der Nähe, Bischof von Cordoba; waren Sie nicht immer viel runder?

BISCHOF. Mein Vorgänger vielleicht.

DON JUAN. Trotzdem habe ich plötzlich das Gefühl, ich kenne Ihr finsteres Gesicht. Wo haben wir einander schon einmal getroffen?

Es klopft an der Türe.

DON JUAN. Sehr merkwürdig ...

Es klopft an der Türe.

DON JUAN. Ich sprach von meiner Not.

BISCHOF. Ehen geschändet, Familien zerstört, Töchter verführt, Väter erstochen, ganz zu schweigen von den Ehemännern, die ihre Schande überleben müssen – und Sie, der alles dies verschuldet hat, Sie wagen es, Don Juan Tenorio, zu sprechen von Ihrer eignen Not!

DON JUAN. Sie zittern ja.

BISCHOF. Im ganzen Land verlacht zu sein als ein gehörnter Ehemann, haben Sie schon einmal erlebt, was das heißt?

DON JUAN. Haben Sie's, Eminenz?

BISCHOF. Ein Mann wie dieser brave Lopez –

DON JUAN. Eminenz scheinen ja verwandt mit ihm zu sein, daß Sie ihn immerfort erwähnen, Ihren braven Lopez, der, ich weiß, ein halbes Vermögen gestiftet hat, damit die spanische Kirche es nicht aufgibt, mich zu verfolgen, und jetzt ist er sogar dazu übergegangen, Ihr braver Lopez, mein Haus mit seinen Schergen zu umstellen. Sie erbleichen, Eminenz, aber es ist Tatsache: ich kann mein Haus nicht mehr verlassen, ohne jemand zu erstechen – es ist eine Not, Eminenz, glauben Sie mir, eine wirkliche Not.

Leporello ist eingetreten.

DON JUAN. Stör uns jetzt nicht!

Leporello verzieht sich.

BISCHOF. Um bei der Sache zu bleiben: –

DON JUAN. Bitte.

BISCHOF. Gründung einer Legende.

DON JUAN. Sie brauchen bloß ja zu sagen, Bischof von Cordoba, und die Legende ist gemacht. Ich habe eine Person gemietet, die uns den toten Komtur spielt, und die Damen werden schon kreischen, wenn sie seine Grabesstimme hören. Machen Sie sich keine Sorge! Dazu ein schnödes Gelächter meinerseits, so daß es ihnen kalt über den Rücken rieselt, ein Knall im rechten Augenblick, so daß die Damen ihre Gesichter verbergen – Eminenz sehen die sinnreiche Maschine unter dem Tisch! – und schon stinkt es nach Schwefel und Rauch. Alldies sehr kurz, versteht sich; Verblüffung ist die Mutter des Wunders. Und Sie, so dachte ich, sprechen sofort ein passendes Wort, wie Sie es gerne tun, ein Wort von der Zuverlässigkeit des Himmels, meine Musikanten spielen das bestellte Halleluja, und Schluß.

BISCHOF. Und Sie?

DON JUAN. Ich bin in den Keller gesprungen – Eminenz sehen diesen sinnreichen Deckel in der Diele! – natürlich nicht ohne einen geziemenden Schrei, der Furcht und Mitleid erregt, wie Aristoteles es verlangt. Im Keller erwarten mich meine braune Kutte und ein geschärftes Messer, um meinen allzu berühmten Schnurrbart zu entfernen, und auf staubigem Pfad wandelt ein Mönch.

BISCHOF. Ich verstehe.

DON JUAN. Bedingung: Wir beide wahren das Geheimnis. Sonst kommt ja keiner auf seine Rechnung. Meine Höllenfahrt – das Gerücht wird sich im Nu verbreiten, und je weniger die wenigen Augenzeugen wirklich gesehen haben, um so reicher machen es die vielen, die nicht dabei gewesen sind, um so stichhaltiger vor jeglichem Zweifel – meine Höllenfahrt tröstet die Damen, die Ehemänner, das drohende Heer meiner Gläubiger, kurzum, jedermann kommt auf seine innere Rechnung. Was wäre wunderbarer?

BISCHOF. Ich verstehe.

DON JUAN. Don Juan ist tot. Ich habe meine Ruhe zur Geometrie. Und Sie, die Kirche, haben einen Beweis von himmlischer Gerechtigkeit, wie Sie ihn sonst in ganz Spanien nicht finden.

BISCHOF. Ich verstehe.

Leporello tritt wieder ein.

LEPORELLO. Herr –

DON JUAN. Was ist denn?

LEPORELLO. Die Damen sind da.

DON JUAN. Wo?

LEPORELLO. Im Hof. Und ziemlich empört, Herr. Dachte jede: Unter vier Augen und so. Hätte ich nicht flugs den Riegel geschoben, wäre schon keine mehr hier. Das flattert und schnattert wie ein andalusischer Hühnerhof.

DON JUAN. Gut.

LEPORELLO. Das heißt, um genau zu sein, wie mein Herr es immer wünschen: Jetzt grad sind sie still, alle mustern einander von der Seite, jede fächelt sich.

DON JUAN. Laß sie herein! *Nach einem Blick zum Bischof* – sagen wir: in fünf Minuten.

Leporello geht.

DON JUAN. Eminenz, nennen Sie mir das Kloster!

BISCHOF. Sie sind Ihrer Sache sehr sicher –

DON JUAN. Natürlich kann die Kirche eine Legende nur brauchen, wenn sie gelingt. Ich verstehe Ihr Zögern, Bischof von Cordoba, aber seien Sie getrost: die Geschichte ist glaubwürdig, keineswegs originell, ein alter Sagenstoff, eine Statue erschlägt den Mörder, das kommt schon in der Antike vor, und die Verspottung eines Totenschädels, der dann den Spötter ins Jenseits holt, denken Sie an die bretonischen Balladen, die unsre Soldaten singen; wir arbeiten mit Überlieferung –

Der Bischof nimmt seine Verkleidung ab und die

dunkle Brille, die er getragen hat, und zeigt sein wirkliches Gesicht.

DON JUAN. Don Balthazar Lopez?

LOPEZ. Ja.

DON JUAN. Also doch.

LOPEZ. Wir haben einander ein einziges Mal gesehen, Don Juan, für einen kurzen Augenblick. Ein weißer Vorhang wehte in die Kerze, als ich die Türe öffnete und Sie bei meiner Gattin fand; eine plötzliche Fahne von rotem Feuer, Sie erinnern sich, und ich mußte löschen –

DON JUAN. Richtig.

LOPEZ. Zum Fechten blieb keine Zeit.

Don Juan zieht seinen Degen.

LOPEZ. Nachdem ich erfahren habe, was Sie im Schilde führen, um unsrer Rache zu entgehen, soll es mir ein Vergnügen sein, Ihre gotteslästerliche Legende zu entlarven. Lassen Sie die Damen herein! Sie bleiben auf dieser Erde, Don Juan Tenorio, genau wie wir, und ich werde nicht ruhen, bis meine Rache vollendet ist, bis ich auch Sie, Don Juan Tenorio, als Ehemann sehe.

DON JUAN. Ha!

LOPEZ. Und zwar mit meiner Frau!

Eintritt Leporello.

LEPORELLO. Die Damen!

LOPEZ. Auch ein Meister im Schach, scheint es, greift einmal die falsche Figur, und plötzlich, seines schlauen Sieges gewiß, setzt er sich selber matt.

DON JUAN. Wir werden ja sehen –

Es kommen die dreizehn Damen in voller Entrüstung, die beim Anblick des vermeintlichen Bischofs vorerst verstummen; Lopez hat seinen bischöf-

lichen Hut wieder aufgesetzt, und die Damen küssen
den Saum seines Gewandes. Dies in Würde, aber
dann:

DONNA ELVIRA. Eminenz, wir sind betrogen –

DONNA BELISA. Schamlos betrogen –

DONNA ELVIRA. Ich dachte, er liege im Sterben –

DONNA ISABEL. Ich auch –

DONNA VIOLA. Jede von uns –

DONNA ELVIRA. Ehrenwort, sonst wäre ich nie gekommen –

DONNA FERNANDA. Keine von uns –

DONNA ELVIRA. Ich, die Witwe des Komturs –

DONNA FERNANDA. Ich dachte auch, er liege im Sterben –

DONNA INEZ. Ich auch, ich auch –

DONNA ELVIRA. Ich dachte, er bereue –

DONNA BELISA. Jede von uns –

DONNA ISABEL. Er will Buße tun, dachte ich –

DONNA VIOLA. Was sonst –

DONNA ELVIRA. Eminenz, ich bin eine Dame –

DONNA BELISA. Und wir?

BISCHOF. Donna Belisa –

DONNA BELISA. Sind wir keine Damen, Eminenz?

BISCHOF. Beruhigen Sie sich, Donna Belisa, ich weiß, Sie sind die Gattin des braven Lopez.

DONNA BELISA. Nennen Sie seinen Namen nicht!

BISCHOF. Warum nicht?

DONNA BELISA. Der brave Lopez! wie er sich immer selber nennt, und nicht einmal gefochten hat er für mich, Eminenz, nicht einmal gefochten, alle andern Ehemänner haben wenigstens gefochten, ich bin die einzige in diesem Kreis, die keine Witwe ist.

BISCHOF. Fassen Sie sich!

DONNA BELISA. Der brave Lopez!

DONNA ELVIRA. Ich war gefaßt, Eminenz, auf alles, aber nicht auf eine Parade von aufgeputzten Ehebrecherinnen, die sich für meinesgleichen halten.

DIE DAMEN. Ah!

DONNA ELVIRA. Entrüstet euch nur, ihr heuchlerisches Gesindel, fächelt euch, ich weiß genau, wozu ihr in dieses verruchte Haus gekommen seid.

DONNA BELISA. Und Sie?

DONNA ELVIRA. Wo ist er überhaupt, euer Geliebter, wo ist er, damit ich ihm die Augen auskratze?

DON JUAN. Hier.

Er tritt in den Kreis wie ein Torero.

Ich danke euch, meine Geliebten, daß ihr alle gekommen seid, alle sind es freilich nicht, aber genug, so denke ich, um meine Höllenfahrt zu feiern.

LEPORELLO. Herr –!

DON JUAN. Meine Geliebten, setzen wir uns.

Die Damen stehen, ohne sich zu fächeln, reglos.

DON JUAN. Ich gestehe, ja, es ist seltsam, seine Geliebten zusammen in einem Saal zu sehen, ja, sehr seltsam, ich habe es mir schon vorzustellen versucht, aber vergeblich, und ich weiß nicht, wie ich sprechen soll in dieser feierlichen Stunde, da ich euch zusammen sehe, einander fremd und wieder nicht, vereint allein durch mich, getrennt durch mich, so, daß keine mich anblickt –

Die Damen fächeln sich.

DON JUAN. Meine Damen, wir haben einander geliebt.

Eine Dame spuckt ihm vor die Füße.

DON JUAN. Ich staune selbst, Donna Viola, wie wenig davon geblieben ist –

DONNA ISABEL. Ich heiße nicht Viola!

DON JUAN. Verzeih.

DONNA VIOLA. Viola nennt er sie!

DON JUAN. Verzeih auch du.

DONNA VIOLA. Das halt ich nicht aus!

DON JUAN. Wie flüchtig gerade jene Empfindung ist, die uns im Augenblick, da wir sie haben, dem Ewigen so nahebringt, daß wir als Person davon erblinden, ja, Donna Fernanda, es ist bitter.

DONNA ISABEL. Ich heiße auch nicht Fernanda!

DON JUAN. Meine Liebe –

DONNA ISABEL. Das hast du jeder gesagt: Meine Liebe!

DON JUAN. Ich meinte es nie persönlich, Donna Isabel – jetzt erinnere ich mich: Donna Isabel! Du mit der Seele, die immer überfließt, warum hast du nicht sogleich geschluchzt? *Zum Bischof:* Das Gedächtnis des Mannes ist sonderbar, Sie haben recht, man weiß nur noch die Nebensachen: Ein weißer Vorhang, der in die brennende Kerze weht –

DONNA BELISA. O Gott.

DON JUAN. Ein andermal war es ein Rascheln im Röhricht, und erschreckt, wie ich war, zog ich die Klinge: es war eine Ente im Mondschein.

DONNA VIOLA. O Gott.

DON JUAN. Was im Gedächtnis bleibt, sind Gegenstände: eine geschmacklose Vase, Pantoffeln, ein Kruzifix aus Porzellan. Und manchmal Gerüche: Duft verwelkter Myrrhen –

DONNA ISABEL. O Gott.

DON JUAN. Und so weiter und so weiter. Und ganz in der Ferne meiner Jugend, die kurz war, höre ich das heisere Gekläff einer Meute im nächtlichen Park –

DONNA ELVIRA. O Gott.

DONNA CLARA. O Gott.

DONNA INEZ. O Gott.

DON JUAN. Das ist alles, woran ich mich erinnern kann.

Die Damen haben ihre Fächer vors Gesicht genommen.

DON JUAN. Leporello, zünde die Kerzen an!

Leporello zündet die Kerzen an.

DON JUAN. Ich weiß nicht, ob ich anders bin als andere Männer. Haben sie ein Erinnern an die Nächte mit Frauen? Ich erschrecke, wenn ich auf mein Leben zurückblicke, ich sehe mich wie einen Schwimmer im Fluß: ohne Spur. Sie nicht? Und wenn ein Jüngling mich fragte: Wie ist das mit Frauen? ich wüßte es nicht, offengestanden, es vergißt sich wie Speisen und Schmerzen, und erst wenn es wieder da ist, weiß ich: So ist das, ach ja, so war es immer …

Leporello hat die Kerzen entzündet.

DON JUAN. Ich weiß nicht, Don Balthazar, ob Sie sich jetzt schon entlarven möchten oder später.

DONNA BELISA. Was sagt er?

Der Bischof entlarvt sich.

LOPEZ. Meine Name ist Lopez.

DONNA BELISA. Du?!

LOPEZ. Don Balthazar Lopez.

DON JUAN. Schatzkanzler von Toledo, wenn ich nicht irre, Inhaber verschiedener Orden, wie ihr seht, Herr Lopez hat in selbstloser Weise das immer heikle Amt übernommen, die Eifersucht der Ehemänner zu vertreten.

LOPEZ. Ihr Spott, Don Juan, ist am Ende.

Man hört ein dumpfes Poltern.

DON JUAN. Ruhe!

Man hört ein dumpfes Poltern.

DON JUAN. Herr Lopez von Toledo hat das Wort.

Man hört ein dumpfes Poltern.

LOPEZ. Erschrecken Sie nicht, meine Damen, ich weiß, was hier gespielt wird, hören Sie mich an!

LEPORELLO. Herr –

DON JUAN. Still.

LEPORELLO. – die Türen sind geschlossen.

Die Damen kreischen.

LOPEZ. Hören Sie mich an!

Die Damen sind zu den Türen gelaufen, die geschlossen sind; Don Juan hat sich auf die Tischkante gesetzt und schenkt sich Wein in ein Glas.

DON JUAN. Hören Sie ihn an!

LOPEZ. Meine Damen –

DON JUAN. Sie gestatten, daß ich unterdessen trinke; ich habe Durst. *Er trinkt.* So reden Sie schon!

LOPEZ. Er wird dieses Haus nicht verlassen, meine Damen, nicht ohne die gerechte Strafe. Dafür habe ich gesorgt. Die Stunde des Gerichtes ist da, das Maß seiner Frevel ist voll.

DON JUAN. Ist es das nicht schon lang? *Er trinkt.* Und trotzdem geschieht nichts, das ist ja der Witz. Gestern auf dem Friedhof, Leporello, haben wir nicht alles unternommen, um den toten Komtur zu verhöhnen?

LEPORELLO. – Herr . . .

DON JUAN. Habe ich ihn nicht zu dieser Tafel geladen?

DONNA ELVIRA. Meinen Gemahl?!

DON JUAN. Mein braver Diener hat es mit eigenen Augen gesehen, wie er mit seinem steinernen Helm gewackelt hat, dein Gemahl, offenbar zum Zeichen, daß er heute Zeit hat. Warum kommt er nicht? Es ist Mitternacht vorbei. Was soll ich denn noch tun, damit euer Himmel mich endlich zerschmettere?

Man hört das dumpfe Poltern.

LOPEZ. Bleiben Sie, Donna Elvira, bleiben Sie!
Man hört das dumpfe Poltern.

LOPEZ. Es ist nicht wahr, eine Spitzbüberei ohnegleichen, es ist alles nicht wahr, er will Sie zum Narren halten – hier: sehen Sie diese sinnreiche Maschine unter dem Tisch? Knall und Schwefel sollen Sie erschrecken, damit Sie alle Vernunft verlieren, damit Sie glauben, Don Juan sei zur Hölle gefahren, ein Gericht des Himmels, das nichts als Theater ist, eine Gotteslästerung sondergleichen, damit er der irdischen Strafe entgehe. Ganz Spanien zum Narren zu halten, das ist sein Plan gewesen, eine Legende in die Welt zu setzen, damit er unsrer Strafe entgehe, nichts weiter, das ist sein Plan gewesen, nichts als Theater –
Don Juan lacht.

LOPEZ. Bestreiten Sie es?

DON JUAN. Durchaus nicht.

LOPEZ. Sie hören es, meine Damen!

DON JUAN. Nichts als Theater.

LOPEZ. Hier: Sie sehen diesen sinnreichen Deckel in der Diele, meine Damen, hier, meine Damen, überzeugen Sie sich mit eigenen Augen!
Don Juan lacht.

LOPEZ. Nichts als Theater.

DON JUAN. Was sonst. *Er trinkt.* Das sage ich ja schon seit zwölf Jahren: Es gibt keine wirkliche Hölle, kein Jenseits, kein Gericht des Himmels. Herr Lopez hat vollkommen recht: Nichts als Theater.

LOPEZ. Hören Sie's, meine Damen?

DON JUAN. Hier: – *er erhebt sich und tritt zum Vorhang im Hintergrund, den er öffnet, so daß man das theatralische Denkmal des Komturs sieht* – bitte.

Die Damen kreischen.

DON JUAN. Warum zittert ihr?

STIMME. Don Juan!

LEPORELLO. – Herr – Herr ...

STIMME. Don Juan!

DON JUAN. Nichts als Theater.

STIMME. Don Juan!

LEPORELLO. Herr – es streckt seinen Arm ...

DON JUAN. Ich fürchte mich nicht, meine Lieben, ihr seht es, ich greife seine steinerne Hand –

Don Juan greift die Hand des Denkmals, Knall und Rauch, Don Juan und das Denkmal versinken in der Versenkung, die Musikanten spielen das bestellte Halleluja.

LOPEZ. Es ist nicht wahr, meine Damen, nicht wahr, ich beschwöre Sie, bekreuzigen Sie sich nicht!

Die Damen knien und bekreuzigen sich.

LOPEZ. Weiber ...

Alle Türen öffnen sich, ein Scherge in jeder Türe.

LOPEZ. Warum bleibt ihr nicht auf euren Posten?

SCHERGE. Wo ist er?

LOPEZ – jetzt hat er's erreicht ...

Intermezzo

Vor dem Zwischenvorhang erscheinen Celestina und Leporello.

CELESTINA. Ich muß unter vier Augen mit ihr reden. Bleib bei der Kutsche! Ich kenne dich: ein bißchen Klostergarten, ein bißchen Vesperglöcklein, und schon wirst du weich. Demnächst glaubst du noch selbst daran, daß er in der Hölle sei.

Eine Nonne erscheint.

CELESTINA. Schwester Elvira?

Leporello entfernt sich.

CELESTINA. Ich bin gekommen, Schwester Elvira, weil ich ein schlechtes Gewissen hab. Wegen damals. Ich hätte das nicht machen sollen. Wenn ich seh, was ich angerichtet habe, ich mach mir wirklich Vorwürfe, wenn ich seh, wie Sie beten den ganzen Tag, bloß weil Sie hereingefallen sind auf den Schwindel mit dem Steinernen Gast. Ich habe nicht geglaubt, daß jemand es wirklich glauben würde. Ehrenwort! Und heut glaubt es schon ganz Spanien. Öffentlich kann man ja die Wahrheit schon nicht mehr sagen. Dieser unselige Lopez! Das haben Sie gehört: des Landes verwiesen, bloß weil er öffentlich zu sagen wagte, ein Schwindler spielte den Geist des Komturs. Schwester Elvira, ich bin's gewesen, der den Steinernen Gast gespielt hat, ich, niemand anders als ich. Dieser unselige Lopez! Das haben Sie gehört: jetzt hat er sich in Marokko drüben erhängt, der Arme, nachdem er der spanischen Kirche sein ganzes Vermögen

81

geschenkt hat, und jetzt glaubt ihm nicht einmal die Kirche. Warum hat's die Wahrheit in Spanien so schwer? Ich bin drei Stunden gefahren, bloß um die Wahrheit zu sagen, Schwester Elvira, die schlichte Wahrheit. Hören Sie mir denn zu? Ich bin die letzte eingeweihte Person in dieser dummen Geschichte, es liegt mir wirklich auf der Seele, seit ich weiß, daß Sie deswegen ins Kloster gegangen sind, Schwester Elvira, deswegen. Ich hab nichts gegen das Kloster. Unter vier Augen, Schwester Elvira: Er ist nicht in der Hölle. Glauben Sie mir! Ich weiß, wo er ist, aber ich darf es nicht sagen, ich bin bestochen, Schwester Elvira, und zwar anständig – sonst könnte ich mir nicht seinen Diener leisten ... Schwester Elvira, von Frau zu Frau: Don Juan lebt, ich hab ihn ja mit eignen Augen gesehen, von Hölle kann nicht die Rede sein, da können Sie für ihn beten, soviel Sie wollen.

Vesperglocke, die Nonne entfernt sich betend.

CELESTINA. Nichts zu machen!

Leporello kommt.

CELESTINA. Marsch auf den Bock! Ich hab keine Zeit für Leute, die es für Glauben halten, wenn sie die Wahrheit nicht wissen wollen. Bekreuzige dich!

LEPORELLO. Celestina –

CELESTINA. Don Juan ist in der Hölle.

LEPORELLO. Und mein Lohn? Mein Lohn?

CELESTINA. Marsch auf den Bock!

LEPORELLO. »Voilà par sa mort un chacun satisfait: Ciel offensé, lois violées, filles séduites, familles déshonorées, parents outragé, femmes mises à mal, maries poussés à bout, tout le monde est content. Il n'y a que moi seul de malheureux, qui, après tant

d'années de service, n'ai point d'autre récompense
que de voir à mes yeux l'impiété de mon maître
punie par le plus épouvantable châtiment du monde!«

Fünfter Akt

Eine Loggia
Im Vordergrund steht ein Tisch, gedeckt für zwei Per-
sonen. Don Juan wartet offensichtlich auf die andere
Person. Nach einer Weile reißt ihm die Geduld, er
schellt mit einer Klingel, worauf ein Diener erscheint.

DON JUAN. Ich habe gebeten, man soll mich nicht aus
meiner Arbeit holen, bevor man wirklich essen kann.
Nun warte ich schon wieder eine halbe Stunde. Sind
meine Tage nicht kurz genug? Ich weiß, Alonso, es
liegt nicht an dir. *Er greift zu einem Buch.* Wo ist sie
denn? *Der Diener zuckt die Achseln.* Ich danke. Es
ist gut. Ich habe nichts gesagt. *Der Diener entfernt*
sich, und Don Juan versucht in einem Buch zu lesen,
das er plötzlich in die Ecke schmeißt; er ruft: Alonso!
Wenn es soweit ist, daß man wirklich essen kann:
ich bin drüben in meiner Klause.
Don Juan will sich entfernen, aber aus dem Garten
kommt der rundliche Bischof von Cordoba, ehe-
mals Pater Diego, mit einer Aster in der Hand.
BISCHOF. Wohin denn so eilig?
DON JUAN. Ah!
BISCHOF. Wir haben Sie in den Gärten erwartet, mein
Lieber. Ein betörender Abend da draußen. Wie leid
es mir tut, daß ich heute nicht bleiben kann! Da
vorn in den Arkaden, wo man die Schlucht von
Ronda sieht, die letzte Sonne in den glühenden
Astern, rot und violett, dazu die blaue Kühle im
Tal, das schon im Schatten liegt, ich denke es jedes-

mal: Es ist ein Paradies, was euch zu Füßen liegt.

DON JUAN. Ich weiß.

BISCHOF. Aber Herbst ist es geworden ...

DON JUAN. Sie nehmen einen Wein, Diego?

BISCHOF. Gerne. *Während Don Juan eine Karaffe nimmt und zwei Gläser füllt:* – ich sagte eben: Was doch die alten Mauren, die solche Gärten bauten, für ein Talent besaßen, mit der Haut zu leben. All diese Höfe, Durchblick um Durchblick, diese Fluchten voll traulicher Kühle, und die Stille darin wird nicht zum Grab, sie bleibt voll Geheimnis der verblauenden Ferne hinter zierlichen Gittern, man wandelt und labt sich am Schatten, aber die Kühle bleibt heiter vom milden Spiegelschein einer besonnten Mauer; wie witzvoll und zärtlich und ganz für die Haut ist alldies gemacht! Zu schweigen von den Wasserspielen; welche Kunst, die Schöpfung spielen zu lassen auf dem Instrument unsrer Sinne, welche Meisterschaft, das Vergängliche zu kosten, geistig zu werden bis zur Oberfläche, welche Kultur! *Er riecht an der Aster.* Die Herzogin wird jeden Augenblick kommen.

DON JUAN. Wird sie.

BISCHOF. Es sei ihr nicht ganz wohl, sagt sie.

Don Juan überreicht das gefüllte Glas.

BISCHOF. Wie geht's der Geometrie?

DON JUAN. Danke.

BISCHOF. Was Sie das letzte Mal erzählten, hat mich noch lang beschäftigt, Ihre Geschichte mit den Dimensionen, wissen Sie, und daß auch die Geometrie zu einer Wahrheit kommt, die man sich nicht mehr vorstellen kann. So sagten Sie doch? Linie, Fläche,

Raum; was aber soll die vierte Dimension sein? Und doch können Sie durch Denken beweisen, daß es sie geben muß –

Don Juan kippt sein Glas.

BISCHOF. Don Juan, was ist los mit Ihnen?

DON JUAN. Mit mir? Nichts. Wieso? Gar nichts. *Er füllt sein Glas zum zweiten Mal.* Nicht der Rede wert! *Er kippt sein Glas zum zweiten Mal.* Was soll los sein?

BISCHOF. Zum Wohl.

DON JUAN. Zum Wohl. *Er füllt sein Glas zum dritten Mal.* – jeden Tag wiederhole ich meinen schlichten Wunsch, man soll mich nicht rufen, bevor man wirklich essen kann. Nicht zu machen! Erst war es der Gong, den die Herzogin nicht hörte, wenn im Tal die Grillen zirpten, und ich habe einen andern verfertigen lassen, der die Schlucht von Ronda übertönt. Im Ernst, ganz Ronda weiß, wann hier gegessen werden soll. Nur die Herzogin nicht. Ich habe meine Diener erzogen, die Herzogin persönlich zu suchen und zu finden, persönlich zu unterrichten: das Essen ist bereit! und mich nicht zu rufen, bevor die Herzogin tatsächlich über den Hof kommt. Sie lächeln! Es sind Nichtigkeiten, ich weiß, nicht der Rede wert; gerade das macht sie zur Folter. Was soll ich tun? Ich bin ja ihr Gefangener, vergessen Sie das nicht, ich kann ja nicht aus diesem Schloß heraus; wenn man mich draußen sieht, ist meine Legende hin, und das heißt, ich hätte abermals als Don Juan zu leben – *Er kippt das dritte Glas.* Reden wir nicht davon!

BISCHOF. Ein köstlicher Jerez.

Don Juan schweigt zornig.

BISCHOF. Ein köstlicher Jerez.

DON JUAN. Verzeihung. *Er füllt auch das Glas des Bischofs nach.* Ich habe nichts gesagt.

BISCHOF. Zum Wohl.

DON JUAN. Zum Wohl.

BISCHOF. Die Herzogin ist eine wunderbare Frau. *Er nippt.* Sie ist glücklich, aber klug; sie weiß sehr wohl, daß Sie, der Mann, nicht glücklich sind, und das ist das einzige, was sie unter vier Augen beklagt.

DON JUAN. Sie kann nichts dafür, ich weiß.

BISCHOF. Aber?

DON JUAN. Reden wir nicht davon!

Der Bischof nippt.

DON JUAN. – jeden Tag, wenn ich in diese Loggia trete, jeden Tag, jahrein und jahraus, dreimal am Tag, jedesmal habe ich das lichterlohe Gefühl, ich halte es nicht aus. Lappalien! Aber ich halte es nicht aus! Und wenn sie endlich kommt, tu ich, als wäre es wirklich eine Lappalie; wir setzen uns an den Tisch, und ich sage: Mahlzeit.

BISCHOF. Sie lieben sie.

DON JUAN. Das kommt noch dazu. Wenn sie eine Woche drüben in Sevilla weilt, um sich die Haare färben zu lassen, ich will nicht sagen, daß ich sie vermisse –

BISCHOF. Aber Sie vermissen sie.

DON JUAN. Ja.

BISCHOF. Es ist nicht gut, daß der Mann allein sei, so heißt es in der Schrift, drum schuf Gott ihm eine Gefährtin.

DON JUAN. Und meinte er, dann sei es gut?

Der Diener erscheint mit einem silbernen Tablett.

DON JUAN. Wir sind noch nicht soweit. –

Der Diener geht mit dem silbernen Tablett.

DON JUAN. Im Ernst, mein Unwille gegen die Schöpfung, die uns gespalten hat in Mann und Weib, ist lebhafter als je. Ich zittere vor jeder Mahlzeit. Welche Ungeheuerlichkeit, daß der Mensch allein nicht das Ganze ist! Und je größer seine Sehnsucht ist, ein Ganzes zu sein, um so verfluchter steht er da, bis zum Verbluten ausgesetzt dem andern Geschlecht. Womit hat man das verdient? Und dabei habe ich dankbar zu sein, ich weiß. Ich habe nur die Wahl, tot zu sein oder hier. Dankbar für dieses Gefängnis in paradiesischen Gärten!

BISCHOF. Mein Freund –

DON JUAN. Es ist ein Gefängnis!

BISCHOF. Mit vierundvierzig Zimmern. Denken Sie an alle die andern, Don Juan, die nur eine kleine Wohnung haben.

DON JUAN. Ich beneide sie.

BISCHOF. Wieso?

DON JUAN. Sie werden irrsinnig, denke ich, und merken nichts mehr davon ... Warum hat man mich nicht ins Kloster gelassen?

BISCHOF. Nicht alle können ins Kloster.

DON JUAN. Mehret euch und seid fruchtbar!

BISCHOF. So steht es geschrieben.

DON JUAN. Kein Bann der Kirche, Sie wissen es, und keine Klinge der Welt haben mich je zum Zittern gebracht; aber sie, eine Frau, die mich liebt, sie bringt mich jeden Tag dazu. Und womit eigentlich? Ich sehe bloß, daß ich über das Lächerliche nicht mehr zu lächeln vermag. Und daß ich mich abfinden werde, wo es ein Abfinden nicht gibt. Sie ist eine Frau – mag sein: die beste aller denkbaren Frauen –

aber eine Frau, und ich bin ein Mann. Dagegen ist nichts zu machen, Eminenz, und mit gutem Willen schon gar nicht. Es wird nur ein Ringen daraus, wer das andere durch guten Willen beschämt. Sie sollten uns sehen und hören, wenn wir allein sind. Kein lautes Wort. Wir sind ein Idyll. Einmal ein Glas an die Wand, einmal und nie wieder! Wir haben es zu einer fürchterlichen Noblesse gebracht; wir leiden dran, wenn das andere nicht glücklich ist. Was wollen Sie mehr, um die Ehe vollkommen zu machen? *Pause.* Es fehlt jetzt nur, daß das Geschlecht mir auch noch die letzte Schlinge um den Hals wirft ...

BISCHOF. Und das wäre?

DON JUAN. Daß es mich zum Vater macht. Was werde ich tun? Sie kann ja nichts dafür. Wir werden uns an den Tisch setzen wie immer und sagen: Mahlzeit!

Miranda, die Herzogin von Ronda, erscheint.

MIRANDA. Habe ich die Herren unterbrochen?

BISCHOF. Durchaus nicht, meine liebe Miranda. Wir plauderten grad von der Höllenfahrt des Don Juan. *Zu Don Juan:* Haben Sie das Spektakel in Sevilla gesehen? *Zu Miranda:* Sie geben es jetzt auf dem Theater –

DON JUAN. Ich komme ja nicht nach Sevilla.

MIRANDA. Ein Spektakel? sagen Sie.

BISCHOF. »DER BURLADOR VON SEVILLA«, nennt es sich, »ODER DER STEINERNE GAST«, ich habe es mir neulich ansehen müssen, weil es heißt, unser Prior, der Gabriel Tellez, habe es geschrieben.

MIRANDA. Wie ist es denn?

BISCHOF. Nicht ohne Witz: Don Juan fährt tatsächlich

in die Hölle, und das Publikum jubelt vor Gruseln.
Sie sollten es sich wirklich einmal ansehen, Don
Juan.

DON JUAN. Wie ich in die Hölle fahre?

BISCHOF. Was bleibt dem Theater andres übrig? Wahrheit läßt sich nicht zeigen, nur erfinden. Denken wir uns bloß ein Publikum, das den wirklichen Don Juan sehen könnte: hier auf dieser herbstlichen Loggia in Ronda! – die Damen würden sich brüsten und auf dem Heimweg sagen: Siehst du! Und die Ehemänner würden sich die Hände reiben vor Schadenfreude: Don Juan unter dem Pantoffel! Kommt doch das Ungewöhnliche gern an einen Punkt, wo es dem Gewöhnlichen verzweifelt ähnlich sieht. Und wo, so riefen meine Sekretäre, wo bleibt die Strafe? Nicht aufzuzählen wären die Mißverständnisse. Und ein junger Geck, der sich als Pessimist gefällt, würde erklären: Die Ehe, versteht ihr, das ist die wahre Hölle! und was der Platitüden mehr sind ... Nein, es wäre gräßlich, dieses Publikum zu hören, das nur die Wirklichkeit sieht. *Er reicht die Hand.* Leben Sie wohl, Herzogin von Ronda!

MIRANDA. Sie wollen wirklich gehen?

BISCHOF. Ich muß, ich muß. *Er gibt Don Juan die Hand.* Leben Sie wohl, Burlador von Sevilla!

DON JUAN. Wird es gedruckt?

BISCHOF. Ich nehme an. Die Leute genießen es über die Maßen, zuweilen einen Mann zu sehen, der auf der Bühne macht, was sie nur machen möchten, und der es schließlich büßen muß für sie.

MIRANDA. Aber ich, Diego, ich komme nicht drin vor?

BISCHOF. Nein.

MIRANDA. Gott sei Dank.

BISCHOF. Ich auch nicht, Gott sei Dank – sonst hätten wir es verbieten müssen, und das Theater braucht Stücke. Übrigens zweifle ich, ob es wirklich ein Tirso de Molina ist; es ist allzu fromm, scheint mir, und sprachlich nicht auf der Höhe seiner andern Stücke. Aber wie dem auch sei – *Er stellt die Aster auf den Tisch:* Gott segne eure Mahlzeit!

Der Bischof geht, begleitet von Don Juan. Miranda ist einige Augenblicke allein, eine Geste verrät, daß ihr nicht wohl ist. Sie findet das Buch am Boden, Don Juan kommt zurück.

MIRANDA. Was ist denn mit diesem Buch geschehen?

DON JUAN. Ach so.

MIRANDA. Hast du es in die Ecke geworfen?

DON JUAN. Was ist es eigentlich?

MIRANDA. Da fragst du, ob es gedruckt wird. Das ist es ja: EL BURLADOR DE SEVILLA Y CONVI-DADO DE PIEDRA.

DON JUAN. Dann hat er es uns geschenkt.

MIRANDA. Und warum hast du es in die Ecke geworfen? *Don Juan rückt ihr den Sessel zurecht.* Ist es Zeit zum Essen? *Sie setzt sich.* Bist du zornig gewesen? *Don Juan setzt sich.* Du tust mir unrecht, Juan –

DON JUAN. Sicher, meine Liebe, sicher.

MIRANDA. Ich mußte mich wirklich einen Augenblick hinlegen.

DON JUAN. Nimmst du Wein?

MIRANDA. Danke, nein.

DON JUAN. Wieso nicht?

MIRANDA. Plötzlich war mir wieder so schwindlig, ich glaube, wir bekommen ein Kind.

DON JUAN. <u>Ein Kind</u> –

Der Diener erscheint.

DON JUAN. Wir sind soweit. –

Der Diener geht.

MIRANDA. Du mußt jetzt nicht behaupten, daß es dich freut, Juan, aber es wird mich glücklich machen, wenn ich eines Tages sehe, daß es dich wirklich freut.

Der Diener kommt mit dem silbernen Tablett und serviert.

DON JUAN. Mahlzeit.

MIRANDA. Mahlzeit.

Sie beginnen schweigsam zu essen, langsam fällt der Vorhang.

Nachträgliches

Don Juan, wie jede Gestalt, hat einen Kreis von Geistesverwandten, und wenn sie ihm noch so ferne stehen, Ikarus oder Faust sind ihm verwandter als Casanova – weshalb der Schauspieler sich keinerlei Sorgen zu machen braucht, wie er verführerisch wirke auf die Damen im Parkett. Sein Ruhm als Verführer (der ihn als Ruhm begleitet, ohne daß er sich selbst mit diesem Ruhm identifiziert) ist ein Mißverständnis seitens der Damen. Don Juan ist ein Intellektueller, wenn auch von gutem Wuchs und ohne alles Brillenhafte. Was ihn unwiderstehlich macht für die Damen von Sevilla, ist durchaus seine Geistigkeit, sein Anspruch auf eine männliche Geistigkeit, die ein Affront ist, indem sie ganz andere Ziele kennt als die Frau und die Frau von vornherein als Episode einsetzt – mit dem bekannten Ergebnis freilich, daß die Episode schließlich sein ganzes Leben verschlingt.

Ein Intellektueller – in diesem Sinn:
»Der Andere lebt in einer Welt der Dinge, die ein für allemal sind, was sie zu sein scheinen. Auch nicht zufällig stellt er sie in Frage. Sie bringen ihn nicht aus der Fassung... Die Welt, die der Intellektuelle antrifft, scheint ihm nur dazusein, damit sie in Frage gestellt werde. Die Dinge an sich genügen ihm nicht. Er macht ein Problem aus ihnen. Und das ist das größte Symptom der Liebe. Daraus resultiert, daß die Dinge nur sind, was sie sind, wenn sie für den Intellektuellen sind. Dies ahnt manchmal das Weib...«
(Ortega y Gasset: Der Intellektuelle und der Andere.)

Don Juan ist schön durch seinen Mut zur Erfahrung. Kein Beau! Und auch kein Herkules; er ist schlank wie ein Torero, fast knabenhaft. Wie ein Torero: er bekämpft den Stier, er ist nicht der Stier. Seine Hände sind nervig, aber grazil; aber nicht weichlich. Man wird sich immer wieder fragen: Ist er ein Mann? Er hätte Tänzer werden können. Seine Männlichkeit bewegt sich auf der Grenze und ist ihm nichts Selbstverständliches, sondern etwas Kostbares, was er besitzt, also nicht ersetzen muß durch soldatische Pose beispielsweise, aber er muß sie verteidigen; seine Männlichkeit ist etwas Gefährdetes. Sein Gesicht, wie immer es sonst sei, hat die wachen Augen eines Gefährdeten. Der Gefährdete neigt zum Radikalen.

In bezug auf die Untreue, die bekannteste Etikette jedes Don Juan, würde das heißen: Es reißt ihn nicht von Wollust zu Wollust, aber es stößt ihn ab, was nicht stimmt. Und nicht weil er die Frauen liebt, sondern weil er etwas anderes (beispielsweise die Geometrie) mehr liebt als die Frau, muß er sie immer wieder verlassen. Seine Untreue ist nicht übergroße Triebhaftigkeit, sondern Angst, sich selbst zu täuschen, sich selbst zu verlieren – seine wache Angst vor dem Weiblichen in sich selbst.

Don Juan ist ein Narziß, kein Zweifel; im Grunde liebt er nur sich selbst. Die legendäre Zahl seiner Lieben (1003) ist nur darum nicht abstoßend, weil sie komisch ist, und komisch ist sie, weil sie zählt, wo es nichts zu zählen gibt; in Worte übersetzt, heißt diese Zahl: Don Juan bleibt ohne Du.

Kein Liebender also.

Liebe, wie Don Juan sie erlebt, muß das Unheimlich-

Widerliche der Tropen haben, etwas wie feuchte Sonne über einem Sumpf voll blühender Verwesung, panisch, wie die klebrige Stille voll mörderischer Überfruchtung, die sich selbst auffrißt, voll Schlinggewächs – ein Dickicht, wo man ohne blanke Klinge nicht vorwärtskommt; wo man Angst hat zu verweilen.

Don Juan bleibt ohne Du auch unter Männern. Da ist immer nur ein Catalinon, ein Scanarelle, ein Leporello, nie ein Horatio. Und wenn der Jugendfreund einmal verloren ist, den er noch aus der Geschwisterlichkeit der Kinderjahre hat, kommt es zu keiner Freundschaft mehr; die Männer meiden ihn. Don Juan ist ein unbrüderlicher Mensch; schon weil er sich selbst, unter Männer gestellt, weiblich vorkäme.

Man könnte es sich so denken:
Wie die meisten von uns, erzogen von der Poesie, geht er als Jüngling davon aus, daß die Liebe, die ihn eines schönen Morgens erfaßt, sich durchaus auf eine Person beziehe, eindeutig, auf Donna Anna, die diese Liebe in ihm ausgelöst hat. Die bloße Ahnung schon, wie groß der Anteil des Gattungshaften daran ist, geschweige denn die blanke Erfahrung, wie vertauschbar der Gegenstand seines jugendlichen Verlangens ist, muß den Jüngling, der eben erst zur Person erwacht ist, gründlich erschrecken und verwirren. Er kommt sich als ein Stück der Natur vor, blind, lächerlich, vom Himmel verhöhnt als Geist-Person. Aus dieser Verwundung heraus kommt sein wildes Bedürfnis, den Himmel zu verhöhnen, herauszufordern durch Spott und Frevel – womit er immerhin einen Himmel voraussetzt. Ein Nihilist?

Innerhalb einer Gesellschaft von durchschnittlicher Verlogenheit wird nun einmal (wenigstens in unseren Tagen) jeder so genannt, der erfahren will, was stimmt.

Sein Spott: eine schamhaftere Art von Schwermut, die niemanden, außer den Himmel, etwas angeht.

Wichtig scheint mir die Scham. Don Juan ist unverschämt, nie schamlos, und unter Männern wäre er vermutlich der einzige, der über eine Zote nicht lacht, nicht lachen kann; er hat die Schamhaftigkeit nach innen, nicht nach außen, nicht Prüderie, aber Sensibilität, wozu dann meistens auch das Spielerische gehört, das Bedürfnis, sich zu verstellen, das Schauspielerische bis zur Selbstverleugnung. »Don Juan« ist seine Rolle.

»El Burlador de Sevilla y Convidado de piedra«, die erste dramatische Gestaltung, 1627 veröffentlicht und wahrscheinlich zu Unrecht dem glorreichen Tirso de Molina zugeschrieben, beginnt mit einer Szene, die Don Juan in aller Kürze vorstellt: nicht wie er wird, sondern wie er ist und bleibt, bis die Hölle ihn verschlingt. Und so, ohne Vorbereitung und ohne Entwicklung, sehen wir ihn auch in späteren Fassungen, Don Juan ist einfach da, ein Meteor ... Man muß sich fragen, ob nicht jeder Versuch, Don Juan als einen Werdenden zu entwickeln, nur möglich ist um den Preis, daß es kein wirklicher Don Juan mehr ist, sondern ein Mensch, der (aus diesen oder jenen Gründen) in die Rolle eines Don Juan kommt.
Ein reflektierter Don Juan also!

Dann allerdings ist sein Medium nicht die Musik – nach Kierkegaard das einzig mögliche Medium für den unmittelbaren Don Juan –, sondern das Theater, das darin besteht, daß Larve und Wesen nicht identisch sind, so daß es zu Verwechslungen kommt wie in den alten spanischen Mantelstücken und wie überall, wo ein Mensch nicht ist, sondern sich selber sucht.

Warum erscheint Don Juan stets als Hochstapler? Er führt ein Leben, das kein Mensch sich leisten kann, nämlich das Leben eines Nur-Mannes, womit er der Schöpfung unweigerlich etwas schuldig bleibt. Sein wirtschaftlicher Bankrott, wie besonders Molière ihn betont, steht ja für einen ganz anderen, einen totalen Bankrott. Ohne das Weib, dessen Forderungen er nicht anzuerkennen gewillt ist, wäre er selber nicht in der Welt. Als Parasit in der Schöpfung (Don Juan ist immer kinderlos) bleibt ihm früher oder später keine andere Wahl: Tod oder Kapitulation, Tragödie oder Komödie. Immer ist die Don-Juan-Existenz eine unmögliche, selbst wenn es weit und breit keine nennenswerte Gesellschaft gibt –
Don Juan ist kein Revolutionär. Sein Widersacher ist die Schöpfung selbst.

Don Juan ist ein Spanier: ein Anarchist.

Don Juan ist kinderlos, meine ich, und wenn es 1003 Kinder gäbe! Er hat sie nicht, sowenig, wie er ein Du hat. Indem er Vater wird – indem er es annimmt, Vater zu sein –, ist er nicht mehr Don Juan. Das ist seine Kapitulation, seine erste Bewegung zur Reife. Warum gibt es denn keinen alten Don Juan?

Don Juan, geistig bestimmt, ist die Hybris, daß einer allein, Mann ohne Weib, der Mensch sein will; sein Geist bleibt pueril im Verhältnis zur Schöpfung – darum muß der Vorhang fallen, bevor Don Juan fünfunddreißig wird, sonst bleibt uns nur noch ein peinlicher Narr, gerade insofern er eine geistige Figur ist.

(Casanova kann alt werden!)

Das Spanische – man kann es vernachlässigen, aber nie wird man Don Juan in ein anderes, ein bestimmtes, beispielsweise deutsches oder angelsächsisches oder slawisches Kostüm stecken, man versuche es, um daran zu erfahren, wie sehr Don Juan, ungeachtet unsrer weiteren Ausdeutung, im Grunde eine spanische Kreation ist und bleibt. Der Spanier (so erscheint er mir wenigstens nach Eindrücken einer kurzen Reise) kennt kein Vielleicht, kein Sowohl-als-auch, nur Ja oder Nein. Er kennt ja auch nur zweierlei Wein, roten oder weißen; er kennt keine Nuancen. Das hat etwas Großartiges bis in den Alltag hinein. Was ausfällt, ist das Zögern, das Vermengen, das Vermitteln; aber auch die Fülle der Übergänge. Was ausfällt, ist die seelische Mitte, das Gemüt, insofern auch das Mitleid, das kleine wie das große, fast möchte man sagen: die humane Liebe. Wenn der Spanier sagt: Ich liebe dich! so heißen die gleichen Worte: Ich will dich! Und sein Mut, wie er ja auch zu Don Juan gehört, erscheint uns oft als pure Geste, womit ein fatalistischer Mensch, einsam unter der kahlen Bläue des spanischen Himmels, sich selbst unterhält: Tod oder Leben, was tut es! Auch ihre Tänze haben ja das Trotzige, Hochmütige, Herausfordernde; Stimmung wird wie etwas Unwürdiges abgeschüttelt, mit Füßen zerstampft, unwirsch, geradezu höhnisch, und wie leidenschaftlich ihr Tanz auch werden mag, nie endet er in Rausch, nie in der Wonne der Auflösung, im Gegenteil: im Triumph über den Rausch, in einer Pose des Völlig-Gefaßten, abrupt. Und stolz, versteht sich; dabei hat ja der Stolz immer etwas Leeres, etwas Ersatzhaftes. Lust am Leben? Größer ist die Lust am Bezwingen, spanischer. Der silberweiße Torero, der dem schwarzen Stier gegenübertritt, der Mensch, der den tödlichen Kampf des Geistes spielt, ist kein andrer als Don Juan; auch dem Torero geht es letztlich nicht darum, daß er das Leben behält. Das wäre kein Sieg. Die Grazie ist es, was ihn zum Sieger machen muß, die geometrische Akuratesse, das Tänzerische, was er dem gewaltigen Stier entgegensetzt, ein Sieg des spielerischen Geistes ist es, was die Arena mit Jubel erfüllt. Das schwarze Tier, dem Don Juan sich stellt, ist die naturhafte Gewalt des Geschlechts, das er aber, im Gegensatz zum Torero, nicht töten kann, ohne sich selbst zu töten. Das ist der Unterschied zwischen Arena und Welt, zwischen Spiel und Sein ... Die beste Einführung zu Don Juan, ausgenommen Kierkegaard, bleibt der Besuch eines spanischen Stierkampfes.

Ein Don Juan, der nicht tötet, ist nicht denkbar, nicht einmal innerhalb einer Komödie; das Tödliche gehört zu ihm wie das Kind zu einer Frau. Wir rechnen ihm ja auch seine Morde nicht an, erstaunlicherweise, weniger noch als einem General. Und seine nicht unbeträchtlichen Verbrechen, deren jedes ordentliche Gericht (also auch das verehrte Publikum) ihn verklagen müßte, entziehen sich irgendwie unserer Empörung.

Man denke sich einen Don Juan, der im Gefängnis endet! Sein Gefängnis ist die Welt – oder anders gesagt: Don Juan ist überhaupt nur insofern interessant, als er sich unserem Vorwurf entzieht: als Meteor, als Sturz, den er nicht will, und als Aufprall, dessen tödliche Wirkung zeigt, wie weit wir vom Paradies entfernt sind.

Lebte er in unseren Tagen, würde Don Juan (wie ich ihn sehe) sich wahrscheinlich mit Kernphysik befassen: um zu erfahren, was stimmt. Und der Konflikt mit dem Weiblichen, mit dem unbedingten Willen nämlich, das Leben zu erhalten, bliebe der gleiche; auch als Atomforscher steht er früher oder später vor der Wahl: Tod oder Kapitulation – Kapitulation jenes männlichen Geistes, der offenbar, bleibt er selbstherrlich, die Schöpfung in die Luft sprengt, sobald er die technische Möglichkeit dazu hat.

Hinter jedem Don Juan steht die Langeweile, wenn auch mit Bravour überspielt, die Langeweile, die nicht gähnt, sondern Possen reißt; die Langeweile eines Geistes, der nach dem Unbedingten dürstet und glaubt erfahren zu haben, daß er es nie zu finden vermag; kurzum, die große Langeweile der Schwermut, die Not eines Herzens, dem die Wünsche ersterben, so daß ihm bloß noch der Witz übrigbleibt; ein Don Juan, der keinen Witz hat, würde sich erhängen.

Romano Guardini über die Schwermut:

»Der Schwermütige verlangt, dem Absoluten zu begegnen, aber als Liebe und Schönheit ... Es ist das Verlangen nach dem, was Platon das eigentliche Ziel des Eros nennt, nach dem höchsten Gut, welches zugleich das eigentlich Wirkliche ist, unvergänglich und ohne Grenze ... Dieses Verlangen nach dem Absoluten ist beim Schwermütigen mit dem Bewußtsein verbunden, daß es vergeblich ist ... Die Schwermut ist die Not der Geburt des Ewigen im Menschen.«

(Schönheit: das Klare, Lautere, Durchsichtige, was Don Juan meint, wenn er von Geometrie redet, und natürlich meint er die noch vorstellbare Geometrie.)

Das Absolute – daß er es als Steinernen Gast auftreten läßt, wird man von einem heutigen Stückschreiber kaum erwarten. Was sollen wir mit dieser vogelscheuchenhaft-schauerlichen Erscheinung? Aber sie gehört nun einmal zu Don Juan, diese Klitterung von allerlei Sagen, von antiken und bretonischen, und mit Parodie allein ist diese Hypothek nicht zu lösen. Parodie setzt ja voraus, daß der Zuschauer gerade noch im Grunde seines Herzens an die Sache glaubt, die zur Parodie steht. Welcher von unseren Zuschauern glaubt, daß die Toten, die man beschimpft, tatsächlich erscheinen und sich an unsere Tafeln setzen? In unseren Parlamenten, in unseren Konferenzen, wo über Krieg und andere Geschäfte verhandelt wird, müßte ja ein Gedränge von Skeletten sein, und in der Versenkung (die zu schaffen wäre, wenn wir solche Hoffnung noch hätten) wimmelte es von Ministern, Direktoren, Generälen, Bankiers, Diplomaten, Journalisten –

Nein, daran glauben wir nicht mehr.

Was uns bleibt, ist die Poesie, und in ihrem Sinn mag die klassische Legende von der Höllenfahrt allerdings bestehen bleiben. Verzweifelt über das Unmögliche seiner Existenz, wobei dieses Unmögliche sich nicht als metaphysisches Gewitter, sondern schlechterdings als

Langeweile manifestiert, ist es nunmehr Don Juan selbst, der die Legende von seiner Höllenfahrt inszeniert – als Oper, als Schwindel, um zu entkommen, gewiß; als Kunst, die etwas Absolutes nur vorgibt, als Poesie, gewiß; aber dann erweist es sich, daß diese Legende, womit er die Welt zum Narren hält, nur die Ausdrucksfigur seines tatsächlichen, seines inneren und anders nicht sichtbaren, doch ausweglos-wirklichen Endes ist.

Natürlich sind es nicht diese (nachträglichen) Gedanken gewesen, die den Verfasser bewogen haben, das vorliegende Theaterstück zu schreiben – sondern die Lust, ein Theaterstück zu schreiben.

Von Max Frisch erschienen im Suhrkamp Verlag

Stücke Band 1 und 2
Tagebuch 1946–1949
Stiller. *Roman*
Homo faber. *Ein Bericht*
Mein Name sei Gantenbein. *Roman*

Bibliothek Suhrkamp
Bin oder Die Reise nach Peking. *Erzählung*
Homo faber. *Ein Bericht*
Andorra. *Stück in zwölf Bildern*

edition suhrkamp
Graf Öderland. *Eine Moritat in zwölf Bildern*
Ausgewählte Prosa. *Nachwort von Joachim Kaiser*
Biedermann und die Brandstifter. *Ein Lehrstück ohne Lehre*
Die Chinesische Mauer. *Eine Farce*
Frühe Stücke. Santa Cruz / Nun singen sie wieder

Max Frisch liest Prosa. *Suhrkamp Sprechplatte:*
Isidor. Der andorranische Jude. Tonband

Bibliothek Suhrkamp

edition suhrkamp

Alphabetisches Verzeichnis der edition suhrkamp